Menos es más

Peter Walsh

Menos es más

Traducción de Francisco Pérez Navarro

VERGARA
GRUPO ZETA **z**

Barcelona • Bogotá • Buenos Aires • Caracas • Madrid • México D.F. • Montevideo • Quito • Santiago de Chile

Título original: *It's All Too Much*
Traducción: Francisco Pérez Navarro
1.ª edición: noviembre 2007

© 2007 by Peter Walsh
© Ediciones B, S. A., 2007
    para el sello Javier Vergara Editor
    Bailén, 84 - 08009 Barcelona (España)
    www.edicionesb.com

Publicado por acuerdo con Free Press,
una división de Simon & Schuster, Inc.

Printed in Spain
ISBN: 978-84-666-3516-5
Depósito legal: B. 39.536-2007

Impreso por LITOGRAFÍA S.I.A.G.S.A.

ÍNDICE

Las cosas que posees terminan poseyéndote.

El Club de la Lucha

AGRADECIMIENTOS

A Ken, que aceptó participar en esta locura todos los días y sin el que nada de esto habría sido posible.

A mi maravillosa familia —Jim y Kath, y mis hermanos y hermanas, Christine, Kay, Michael, Julie, James y Kelvin—, por hacer que tuviera los pies en la tierra y recordarme que conocen suficientes anécdotas de mi miserable vida en caso de que me pasara de la raya.

Al equipo de Evolution Film and Tape —Douglas, Greg, Kathleen y, sobre todo, Dean—, que estuvieron ahí desde el principio y continúan sonriendo al final.

A la sorprendente gente de Simon & Schuster/Free Press, especialmente a Suzanne Donahue y Carisa Hays, buenas amigas, mejores consejeras y estupendas profesionales. Ha sido un sueño trabajar con ellas.

A Dean, Elisa, Ken y Amanda (mi musa), por leer el primer borrador y hacerme comentarios incisivos y valiosos... ¡aunque me dolieran!

A Hilary, por no correr en dirección opuesta y asegurarse de que todo tenga sentido.

A Lydia y al equipo de Paradigm, por ayudarme a navegar por la letra pequeña.

A esa gente valiente y maravillosa que me invitó a entrar en su vida y me pidió consejo y guía cuando todo le sobrepasaba; este libro es fruto de todas las lecciones que me enseñasteis y de vuestra infinita capacidad para sorprenderme. Nunca os lo agradeceré lo bastante.

INTRODUCCIÓN

Algo se ha puesto en marcha. Algo que, hasta hace muy poco, no habría podido imaginar ni predecir. Algo que está cambiando la propia esencia de la vida de la gente; impacta ver cómo nos relacionamos con las cosas que tenemos y poseemos. Es algo que nos afecta a todos. Estamos agobiados por demasiadas cosas.

¿Te ha llamado la atención el título de este libro? Puede que estés pasando por una época de tu vida en la que algo te abruma: tu carrera, tu relación o quizá «todo en general». Si es así, formas parte de quienes en este país y en la mayor parte del mundo desarrollado hemos despertado a la cruda realidad de que la felicidad y el éxito no se miden por las cosas materiales, que tener más posesiones puede ser más agobiante que liberador, que una casa más grande, un coche mejor y más «cosas» no garantizan una mayor felicidad. Para muchos de nosotros, todo aquello que poseemos termina poseyéndonos. ¡De repente, miras a tu alrededor y comprendes que la vida que has construido y todo lo que has comprado te sobra!

Yo tengo un trabajo poco usual. Ayudo a la gente a desembarazarse del agobiante peso de sus pertenencias. No me refiero a un armario desordenado o a un exceso de cajas de adornos navideños en el garaje. Trabajo con gente que ha llenado demasiado su hogar, su oficina, a veces incluso su coche... su vida en resumen, de cosas. Son personas que ya no saben tener una relación racional y sensata con sus cosas, que llenan todos los rincones de su hogar de ropa, papeles, proyectos escolares de los hijos, papel de embalar, toda clase de colecciones, álbumes de recortes, herramientas de jardinería, productos de cocina, material deportivo, antigüedades, muñecas, juguetes, libros, repuestos de coche y todo lo imaginable (e inimaginable).

Viajando por Estados Unidos para ayudar a la gente a librarse de sus trastos y ser organizada, he llegado a darme cuenta de que, sorprendentemente, ese problema afecta a más familias de las que habría podido imaginar. Todas las personas con las que he tratado, no sólo me hablan de su problema de desorden sino también del de un familiar o amigo. Nadie parece inmune. Las historias se parecen: papeles y revistas que proliferan, garajes atestados de cajas sin abrir, juguetes de los niños que llenan habitaciones y armarios tan abarrotados que parecen la sección de ropa de unos grandes almacenes en época de rebajas. La epidemia del desorden y la acumulación, la aparente incapacidad para organizarnos y la sensación de que nuestras «cosas» nos dominan, nos afecta a todos.

Estamos en medio de una orgía de consumo y, ahora, muchos se están dando cuenta de que pagamos un precio muy alto por esa necesidad de poseer: niños tan hiperestimulados por el increíble volumen de cosas que llegan a tener en casa que pierden la capacidad de centrarse y concentrarse en nada; problemas de dinero por culpa de las facturas extraviadas o las compras excesivas; la constante lucha porque ninguno de los dos miembros de la pareja está preparado para deshacerse de lo suyo; la vergüenza de vivir en una casa que desde hace mucho parece más un almacén que un hogar.

La acumulación no es sólo de objetos físicos que atestan nuestros hogares. Todos los días nos bombardean con predicciones catastrofistas y tenemos que afrontar muchas incertidumbres, unas veces reales y otras ficticias. Piensa en los peligros sobre los que nos han advertido durante la última década: abejas asesinas, la llegada del año 2000, el SARS (síndrome agudo respiratorio severo), el ántrax, la enfermedad de las vacas locas, la gripe aviar, las bacterias carnívoras... La lista podría seguir y seguir interminablemente. También nos enfrentamos diariamente a informes de guerra, inestabilidad económica y terrorismo mundial cada vez más cercano a nuestros hogares. Sorprendentemente, este infinito aluvión (un tipo de acumulación) inspira a muchas de las familias con las que he trabajado a controlar finalmente su propio caos. En un mundo impredecible y peligroso que escapa a su control, quieren estabilidad en el hogar: necesitan recuperar un cierto grado de organización de su armario, su garaje, su despacho, su vida. Esta búsqueda de organización es una respuesta profundamente personal a la sensación de que el resto del mundo se ha descontrolado.

Entre el desorden, la frustración y el anhelo de organización, oigo constantemente la misma frase: «Esto es insoportable.» Las cosas se han apoderado de su vida y de la de su familia y no tienen ni idea de por dónde comenzar. Se sienten paralizados por sus propias pertenencias. A menudo, la gente con la que trabajo se lamenta: «Esto es demasiado... ¡ayúdame!»

Si has llegado a ese punto, si te sientes desbordado por tus pertenencias, tienes elección: decidir, aquí y ahora, que ya no quieres que tus cosas controlen tu vida. Trabaja conmigo para recuperar el equilibrio y la armonía, en tu familia y en tus relaciones. Puede hacerse y sé cómo hacerlo. Nada de esto me aterroriza ni me abruma porque ya lo he visto todo. Nunca he huido de un hogar porque la desorganización fuera excesiva. No obstante, me he alejado de quienes valoran más sus cosas que sus relaciones, sus trastos que sus sueños, sus posesiones que una visión de la vida que realmente quieren.

Si eres una de esas personas a las que, de repente, todo les parece demasiado y quieres salir adelante, acompáñame en un viaje excitante para recuperar tu propia vida. Llevar una vida más rica, más completa, más excitante y más gratificante no es difícil. Confía en mí, ya he guiado a muchos y tú puedes ser el siguiente. ¡Si lo consigues, no habrá nada que no puedas conseguir, te lo prometo!

ESTO ES DEMASIADO

Deja que te cuente uno de mis días normales de trabajo. Un soleado día de junio, Jared y Lisa me invitaron a su modesta casa en los suburbios de Maryland. Desde la calle flanqueada de árboles, su hogar parecía acogedor. La hierba estaba bastante cuidada y el jardín en plena floración. Un sedán gris se hallaba aparcado en el camino de entrada. Pulsé el timbre.

La puerta se abrió y vi un interior horroroso. El suelo era invisible. Todas las superficies estaban abarrotadas con montones de papeles; las paredes, forradas de un extremo a otro con cajas, algunas sobre estantes o mesas; algunos montones me llegaban a la cabeza y no soy precisamente bajito. El salón estaba tan atestado, que la cocina se había convertido en el cuarto de juegos del hijo pequeño de los Cooper. Un tren de juguete corría entre las patas de la mesa de la cocina, y los vagones hacía mucho que se habían dispersado y perdido. La casa estaba invadida por lo que parecía ser material para álbumes de recortes. Resumiendo, era un desastre. Contemplé a Jared y Lisa, que parecían personas decentes, trabajadoras y honradas, como tú o como yo. Jared dirigía con éxito un negocio de autobuses de enlace con los aviones; Lisa, tras tomarse unos cuantos años de descanso para criar a su primer hijo, había vuelto a su trabajo de vendedora de casas. Cooper, de tres años, se afanó encantado por demostrarme la firmeza de su apretón de manos. Era una familia genial y de éxito, a pesar del desorden. Pero, bajo aquella apariencia cálida, se mascaba la tensión. Querían conseguir algo más de la vida y creían que el caos de su hogar los alejaba de la felicidad. Les hice una pregunta obvia que necesitaba una respuesta. ¿Por qué su casa se había descontrolado?

Le pregunté a Lisa cómo podía vivir en medio de aquel caos: «Es agobiante. Cuando miro mi despacho, siento como si me faltara el aire.» Se sentía abrumada, enterrada bajo sus propias cosas. Y añadió: «Algo tiene que cambiar. No quiero vivir así, pero no tengo ni idea de por dónde comenzar.»

Entonces, oí la frase que lo resume todo, las palabras de desesperación que he escuchado una y otra vez en boca de las personas con las que he trabajado: «Esto es demasiado.»

Este libro es una respuesta a la desesperación que encierra esa frase, a lo que tienes que hacer cuando llegas al punto en el que no sabes por dónde empezar, cuando te enfrentas a tanto desorden que levantas las manos y te rindes, cuando quieres marcharte a un hotel o tirarlo todo por la ventana o almacenarlo en el garaje, como cuando eras pequeño y metías la ropa sucia debajo de la cama. Aunque no lo creas, he trabajado con quienes han preferido comprarse una casa nueva antes que enfrentarse a la monumental tarea de ordenar el hogar en el que habían vivido muchos años. Bien, cuando eres adulto no tienes ningún lugar donde esconder tu desorden y, tarde o temprano, tendrás que volver a tu casa, así que es mejor afrontar el problema. Este libro es la solución.

Sólo son cosas

Le pregunté a Jared si se sentía tan agobiado como Lisa, pero se encogió de hombros: «Sé que nuestra casa nunca saldría en un programa de decoración, pero es que estamos muy ocupados. Sólo son cosas. No le veo tanto problema.» Me acerqué a una estantería llena de libros y empecé a leer los títulos. Eran libros de dietas, de ejercicios, de autoayuda, de motivación, sobre la paternidad, sobre finanzas, sobre bodas. Libros acerca de cómo vivir mejor, más feliz, de un modo más enriquecedor y más pleno. Era una completa biblioteca de libros de autoayuda para todos los problemas con los que podía enfrentarse una familia. Era hora de decirles lo que suelo decir a todos mis clientes: la verdad. Era hora de poner un espejo ante su vida y su desorden para que pudieran ver realmente lo que estaba sucediendo. Los hice sentar a los dos y les dije:

—Creéis que el estado de vuestra casa no es para preocuparse, pero fijaos en todos los problemas que estáis intentando resolver. —Y señalé el montón de libros de autoayuda—. Vuestro hogar es la base emocional y física de vuestra familia. ¿Queréis cambiar, motivaros, mejorar vuestra propia imagen, perder peso? Comenzad echando un vistazo a vuestra casa.

»Queréis construir una vida sobre unos cimientos sólidos, pero ni siquiera podéis ver el suelo que pisáis. Queréis perder peso, pero vuestra cocina está atestada de utensilios que nunca utilizáis. Queréis reconducir vuestra carrera, pero entrar en el despacho os pone enfermos. ¿Queréis cambiar? Empezad por aquí, con vuestro hogar. El lugar donde vivís, respiráis, descansáis, que amáis y creáis. Olvidaos de los libros de autoayuda, liberaos del desorden y la acumulación, organizaos. Si lo hacéis, os prometo que todos los demás aspectos de vuestra vida cambiarán de una forma que nunca hubierais creído posible.

Jared y Lisa eran como muchos de los matrimonios con los que he tratado: habían perdido de vista quiénes eran y qué los unía íntimamente. Las cosas que creas, los objetos que valoras, las posesiones que acumulas son tu reflejo, el reflejo de tu vida, de tus relaciones, de tu carrera y de tus aspiraciones. Tú no eres tus cosas pero, créeme, tus cosas revelan mucho acerca de cómo eres.

ESTO ERES TÚ

Jared y Lisa querían cambiar, por eso me llamaron. En el año 2003, me convertí en un experto en organización gracias a un programa de la cadena de televisión norteamericana TLC titulado *Clean Sweep*. La misión de cada episodio de *Clean Sweep* era clara: un equipo de expertos disponía de 48 horas para ayudar a una familia a ordenar y organizarse. Se trataba de una fórmula sencilla: teníamos dos días y dos mil dólares para reformar y reorganizar dos habitaciones de la casa familiar. Yo hago lo mismo de manera privada para clientes como Jared y Lisa. Pero, por sencillo que parezca librarse de las cosas que abarrotan una casa, el problema es más complicado.

Acompáñame mientras doy una vuelta por la casa de Jared y Lisa. Puede que no sea exactamente como la tuya —puede que tengas joyas o colecciones de cerámica antigua en lugar de álbumes de recortes—, pero tengo el presentimiento de que reconocerás parte de tus propios problemas en los de Jared y Lisa. ¡Si algo he aprendido en este trabajo, es que cuando se trata de acumular trastos todos somos más parecidos de lo que pensamos!

Mientras Jared y Lisa terminaban de enseñarme su casa, ella se volvió hacia mí y me preguntó: «¿Cómo nos ha pasado esto? Trabajamos duro, vivimos en un barrio bonito. ¿Por qué a nosotros?» Miré por la ventana las otras casas de la calle. Por fuera eran como la de Jared y Lisa, y aposté a que, tras aquellas puertas cerradas, se ocultaban los mismos problemas: rara es la persona que no acumula trastos. Todos somos, en cierta forma, prisioneros de nuestras pertenencias. A medida que envejecemos, nuestra familia crece. Los niños acumulan progresivamente más juguetes y más ropa, y nosotros acumulamos más libros y papeles, adquirimos nuevas aficiones y colecciones. Los miembros más ancianos de nuestra familia mueren y heredamos cajas —o camiones— de cosas suyas. Hoy día las cosas son relativamente baratas, fíjate por ejemplo en la electrónica. No hace mucho, los televisores y los ordenadores eran compras importantes que sólo podías permitirte un número limitado de veces a lo largo de la vida. Ahora pensamos en sustituirlos cada par de años o en comprarlos nuevos en vez de llevarlos a reparar.

The Container Store es una cadena nacional —tiene treinta y cuatro puntos de venta y sigue creciendo— que vende recursos de almacenamiento y organización, pero, tal como se indica en su página web, no para de expandirse. Sus ingresos crecen un 20% o un 30% anual. ¿Te imaginas si tus posesiones crecieran a ese ritmo? Este año, The Container Store abrirá un nuevo centro, un 65% mayor que el último, para hacer frente a su continuo crecimiento. Piénsalo: es una empresa que sólo vende soluciones organizativas; eso significa que hay millones de norteamericanos que compran sus productos e intentan organizarse, pero puedo garantizar que el resultado aporta muy poca organización. ¿Y cuál es la típica solución norteamericana al problema de tener demasiadas cosas? ¡Comprar otro recurso organizativo!

Además, estamos todos aquellos que no podemos meter nuestras pertenencias en contenedores y enviarlas a un trastero de alquiler, la tierra de nadie de los trastos. Un trastero de este tipo suele considerarse una solución temporal —sólo para guardar ese sofá hasta que nos traslademos a otra casa donde haya espacio suficiente para él—, pero es una industria que mueve quince mil millones de dólares. Hay más de 40.000 instalaciones de trasteros en este país, cada una de las cuales ocupa una media de 6.000 m². La acumulación de trastos es una tendencia nacional. Llega un momento en que todos tenemos que pensar cómo controlar el abarrotamiento antes de que nos sobrepase.

LA MANÍA DEL TRASTERO DE ALQUILER

El primer negocio de trasteros de alquiler en Estados Unidos se fundó en Tejas a finales de la década de los sesenta. Hoy día, aproximadamente un 10% de los hogares de este país tienen objetos depositados en alguna de las 40.000 instalaciones de este tipo que hay en el país. Eso significa un 75% de incremento en sólo diez años, y en una época en la que, paralelamente, el tamaño de las casas se ha incrementado un 50% de media. ¡Casas más grandes y más trastos que almacenar!

Nuestro hogar es demasiado pequeño

Antes de poder ayudar a Jared y a Lisa a controlar el desorden, necesitaba más información. ¿Eran aquéllas todas sus posesiones? ¿De dónde procedían? ¿Eran muy importantes para ellos? ¿Por qué las conservaban?

Empezamos con los álbumes de recuerdos de Lisa. Para ser sincero, los había por toda la casa, pero comenzamos por su cuarto de estar, su cuartel general. Lisa había empezado después de nacer Cooper. Tenía un álbum entero dedicado a los baños del pequeño y, a partir de ahí, se habían ido multiplicando. Fotos, cintas, pegatinas y papeles oficiales sellados desparramados sobre la mesa luchaban por el espacio. Las estanterías estaban llenas de cajas de plástico tan abarrotadas de material que no podían cerrarse.

«Sé lo que parece —Lisa sonrió tímidamente—, pero necesito todo eso para mis álbumes. Y sé dónde está todo. O casi.»

Lisa no creía ser desordenada. Había un método tras la locura que reinaba en aquel cuarto. El verdadero problema, según ella, era que la habitación resultaba demasiado pequeña. Estuve de acuerdo... pero sólo acerca del tamaño del cuarto. Sí, era organizada, pero organizar toda una habitación para aquello no era necesario. Por fin nos pusimos de acuerdo en que el problema no era que Lisa no dispusiera de espacio suficiente, sino que, simplemente, tenía demasiado material. Cuando se agobiaba, en lugar de librarse de parte del material, compraba más cajas (¡más material!). ¿Quién no ha hecho lo mismo más de una vez? En un momento u otro, todos hemos comprado cajas, archivadores, divisiones para los armarios, o invertido en algún nuevo y milagroso sistema que promete llevarnos a un grado más alto de organización. De hecho, he encontrado muchos de estos sistemas organizativos sin usar y ocupando un espacio valioso, almacenados en el garaje, el despacho o el dormitorio de la gente. Me sorprendo constantemente de la cantidad de cosas que la gente es capaz de hacer caber en una habitación. Hazme caso: es una ley básica de la física que no puedes meter cinco metros cúbicos de trastos en tres metros cúbicos de espacio... No puedes crear más espacio del que tienes y, a pesar de ello, conozco a gente que sigue intentándolo. Como digo siempre, ya puedes reordenar cuanto quieras las sillas de la cubierta del *Titanic*, que el barco terminará hundiéndose.

Jared no era tan sentimental como Lisa, pero tenía miedo de que le robasen la identidad. Guardaba cada revista y cada sobre que llegaba a casa a su nombre, porque quería asegurarse de que terminaban reducidos a pulpa. Las montañas de papeles de Jared y las tiras del destructor de documentos atestaban por completo su despachito. Y aunque la preocupación de Jared puede estar justificada, la forma en que resolvía el problema creaba uno mayor y más inmediato para su familia y que afectaba a su vida cotidiana.

Lo que realmente importa

Jared y Lisa no eran capaces de librarse de sus excesos. Para ellos, todo aquello no podía considerarse basura, todo les parecía importante. Lisa tenía fotografías familiares que quería organizar en álbumes para que Cooper los legara a sus hijos. El despacho de Jared estaba lleno de cosas que necesitaba para su empresa: desde informes de los empleados a artículos de negocios que creía poder leer algún día. ¿Cómo iban a deshacerse de todo aquello? Eran cosas que, estaban seguros, necesitarían.

—Bien, tenéis demasiadas cosas pero creéis que todo es fundamental. Lo comprendo —les confesé—. En vez de hablar sobre la casa en general, vayamos habitación por habitación. —Me siguieron hasta la sala de estar—. ¿Para qué sirve este cuarto? —le pregunté a Lisa.

—Es el cuarto de estar. Aquí monto mis álbumes y... bueno, se supone que es donde juega Cooper, aunque siempre está en la cocina o en el recibidor.

—Entiendo. ¿Me estás diciendo que acumular fotos para que Cooper las tenga en un futuro es más importante para ti que el que tenga espacio para jugar hoy?

No esperé a que me respondiera. Jared ya empezaba a relamerse. Había estado en contra de los álbumes de Lisa desde el principio, pero yo no pensaba dejarlo escapar fácilmente. Fui hasta su despacho.

—Te toca, Jared.

—Éste es mi despacho. Aquí guardo el papeleo de mi negocio, reviso las facturas, las pago y tengo el ordenador, que usamos los dos.

—No, tú no lo usas —estalló Lisa—. Y pagas las facturas en la cocina mientras yo intento preparar la cena. —Se giró hacia mí—. Casi nos cortan la electricidad porque Jared perdió una factura detrás del horno.

—¿Es cierto eso? —le pregunté a Jared. Él asintió—. Resulta que a causa del desorden de tu despacho dejas de pagar algunas facturas, pero sigues triturando todos tus papeles. Y el papeleo de tu negocio tiene prioridad sobre el pago de las facturas domésticas, lo que aumenta la tensión entre vosotros dos.

—Eso es exactamente lo que ocurre —respondió Lisa, lanzando una mirada de disculpa a Jared—. ¿Y se supone que trabajas en casa? ¡Menuda gracia!

Nuestro paseo por todas las habitaciones de la casa transcurrió de forma similar. Descubrí que Jared tenía todos los manteles de su abuela en el garaje, en cajas de cartón. Sabía que estaban inutilizables, pero no podía desprenderse de ellos. Y Lisa aprovechaba el desorden del despacho como excusa. En realidad no sabía si quería volver a trabajar o dedicarse a Cooper a tiempo completo. Su casa reflejaba todos estos conflictos, pero no tenían forma de resolverlos hasta que pudieran ver el coste real para su familia de conservar tan «preciadas posesiones». Tenían que enfrentarse a preguntas muy duras, responderlas sinceramente y decidir qué acciones concretas llevarían a cabo para cambiar su situación.

IMAGINA LA VIDA QUE QUIERES VIVIR

Una vez captados el espacio físico y las emociones ocultas tras el desorden y la acumulación de Jared y de Lisa, les dije que quería que hicieran un ejercicio que es fundamental para ayudar a la gente a ser ordenada y organizada.

Como hago con todos mis clientes, primero pedí a Jared y a Lisa que imaginasen su vida ideal. Es una pregunta que siempre pilla a la gente desprevenida. Esperaban que les pidiera un inventario de sus cosas, una lista de sus colecciones o, incluso, detalles de cuando eran pequeños. No obstante, mi punto de partida nunca tiene nada que ver con las «cosas». Sé que parece extraño, pero si sólo te concentras en el desorden, nunca lograrás organizarte. Ser realmente organizado muy pocas veces tiene que ver con las «cosas».

Para que Jared y Lisa pudieran empezar, los ayudé un poco.

—Imaginaos que estáis sanos, sois felices y tenéis éxito. Quizá tenéis un segundo hijo. Quizá vuestra familia vive cerca de aquí... o en el otro extremo del mundo. Vosotros elegís. Despertáis por la mañana sintiéndoos bien, llenos de energía y dispuestos a afrontar el día. Sabéis lo que queréis: una carrera gratificante, unos vecinos amables, un estrés mínimo, una familia adorable, tiempo para relajaros y tiempo para perseguir vuestros intereses, y habéis encontrado la manera de tenerlo todo. ¿Os parece bien?

—Sí, claro —dijo Jared.

Entonces, les pedí que pensaran en la vida que estaban llevando realmente. ¿Sus posesiones contribuían a la vida a la que aspiraban o eran un estorbo para alcanzarla?

—Yo quiero ser organizado, eficiente e inteligente en el uso de mi tiempo —respondió Jared.

Momentos antes lo había visto perder quince minutos buscando su talonario de cheques. Me dijo que solía extraviarlo varias veces por semana. Y Lisa tuvo que admitir que ni siquiera podía imaginarse trabajando en casa mientras tuviera el aspecto que tenía. Esto es lo crucial: si tus cosas y la forma en que las has ordenado te acercan a tu idea de cómo vivir... fantástico. Pero si interfieren en esa visión, ¿por qué las conservas? ¿Por qué forman parte de tu vida? ¿Por qué te aferras a ellas? Para mí, éste es el único punto de partida para acabar con el desorden y la acumulación caseros. Estas preguntas son la prueba definitiva cuando hablamos de lo que posees, de lo que tienes en tu hogar. El primer paso para ser organizado es trabajar teniendo en cuenta la visión de la forma en que quieres vivir. A partir de ahí, todo fluye.

En el siglo XVIII, un arquitecto inglés llamado William Morris escribió que no deberías tener nada en tu hogar que no fuera hermoso o funcional. Una dura tarea. Tu hogar es la metáfora de tu vida: representa quién eres y lo que valoras. Cuando tu casa es un desastre, tu vida empieza a derrumbarse. Jared, que se pasaba un cuarto de hora, dos veces al día, buscando cosas, perdía más de una semana al año. ¡Eso no es eficiencia, es un desperdicio!

No puedes sentirte en paz cuando tienes que abrirte paso entre cajas de pelotas de golf o bregar lo indecible para encontrar la factura de la luz del mes pasado. No puedes tener una familia feliz cuando ni siquiera eres capaz de ver la mesa en la que comes. Para Jared y Lisa, el daño era más grave que unos armarios atiborrados y unas mesas atestadas. Dejaban que las cosas destrozasen su vida, sus relaciones, sus prioridades, sus esperanzas y, sí, sus sueños, todo lo que tendría que haber sido importante para ellos. La acumulación les impedía vivir la vida que deseaban.

En un grado mayor o menor, he visto lo mismo en centenares de casos. Las cosas los dominan. En algún momento se produce un cambio y, de repente, la vida, el amor, la familia y los amigos pasan a un segundo plano respecto al desorden. Piensa en las palabras que utilizamos al hablar de nuestras cosas. «Había tantos trastos en la habitación que me faltaba el aire.» «Tendrías que haber visto ese garaje, con tantas cajas que apenas se podía respirar.» «Estaba literalmente sepultado entre tanto papel.» Utilizamos estas frases por una razón concreta, no son exageraciones. El desorden y la acumulación son insidiosos, una ola lenta pero constante. Entran en tu casa poco a poco, normalmente con el paso de los años. Te absorben la vida, te deprimen, te agobian, te quitan motivación y no te dejan respirar. Impiden que disfrutes de los momentos más íntimos y preciosos de tu vida, te roban mucho más espacio del que ocupan... ¡te roban tu vida!

Les dije a Jared y Lisa que, si querían cambiar, tenían que admitir que un montón de sus «cosas importantes» no lo eran tanto como el espacio que consumían. Había un límite a lo que podían tener y ese límite venía impuesto por el espacio del que disponían. Punto. Sus cosas ocupaban más espacio del razonable y empezaban a invadir el que necesitaban para vivir. Dicho de otro modo: si querían conseguir la vida soñada, tenían que empezar redefiniendo su relación con sus cosas. Parece obvio pero, aunque algunos lo intentan denodadamente, ¡no puedes tenerlo todo!

«Escuchad —les dije—. Vuestras cosas o vosotros, ¡tenéis que elegir!» Empezamos por la sala de estar. Jared, Lisa y yo hablamos sobre la idea que tenían de aquella habitación. Sobre todo, querían que fuera un lugar confortable donde reunirse en familia, con espacio libre para que Cooper pudiera jugar, un sitio acogedor para ver la tele varias noches a la semana... Lisa comprendió que no necesitaba los trastos que tan asiduamente compraba y organizaba, cuando en realidad pasaba más tiempo libre viendo la tele en una habitación atestada de aficiones nunca realizadas. Así que decidió qué conservar basándose en el espacio que quería dedicarle a su *hobby*. Estuvo de acuerdo en que la mitad de los estantes serían para ella y la otra mitad para los juguetes de Cooper. También aceptó no conservar más material para sus álbumes que el que cupiera en su mitad de estantería, guardado en cajas cerradas. Jared propuso que no hiciera álbumes con las fotos de las vacaciones. Ella le dio un suave manotazo de reproche, pero él no se rindió: «Son aburridas y lo sabes.»

Una vez tuvimos clara la función que debía cumplir la habitación, nos metimos con todo el desbarajuste, caja a caja. Jared se burlaba de Lisa sin piedad pero la ayudaba a tomar las decisiones más difíciles. Con una idea clara en mente, tuvimos el criterio suficiente como para decidir qué conservar y qué eliminar. Todo lo que contribuía a la idea que tenían de aquel espacio, se quedaba; todo lo demás, debía desaparecer.

El punto exacto

Jared, Lisa y yo nos pasamos dos días acabando con el desorden de su hogar. Fuimos habitación por habitación, imaginando lo que deseaban para cada espacio y analizando si su contenido servía para ese propósito en concreto. Tuvimos que tomar muchas decisiones duras. Lisa tiró montones de dibujos de Cooper y se quedó únicamente con tres para colgarlos en su dormitorio. Jared regaló sus patines en línea, que jamás había usado, para que cupiera su nueva trituradora de papel.

Jared y Lisa tomaron decisiones preguntándose siempre: ¿esto aporta algo a la vida que queremos tener? Al final, Lisa tiró o regaló la ropa que no se había puesto en todo un año. «Cuando acabe, me gustaría ver espacio libre. Sólo por tener la sensación de aire fresco.» Cuando hubo terminado, Lisa comentó: «¡Me siento como si fuera Navidad!» Jared, por su parte, admitió: «Es como cuando me gradué en el instituto. No tengo exámenes pendientes. No debo nada. Me siento libre.»

Todos teníamos una sensación de alivio y alegría. Si alguna vez has jugado a tenis, o a cualquier otro deporte de raqueta, piensa en cuando colocas la bola en el punto exacto. Unas veces te esfuerzas en golpear bien la pelota, en otras utilizas toda tu fuerza, pero cuando la conexión es perfecta, de repente todo parece fácil. O piensa en la sensación cuando entregas tu declaración de Hacienda. O cuando limpias y ordenas tu mesa antes de irte de vacaciones. Puedes salir de la oficina y apagar la luz sabiendo que todo está en su lugar, justo donde se supone que debe estar. Has hecho tu trabajo y lo has hecho bien. Cuando consigues que todo encaje es porque has sabido elegir con acierto. Cuando vives según estas elecciones, experimentas alegría y claridad, y la libertad llega con el orden natural. Esa sensación del deber cumplido puedes sentirla todos los días, y yo te ayudaré a conseguirla, paso a paso, como hice con Jared y Lisa.

Ellos tenían un millón de libros de autoayuda, e infinitas cajas y sistemas organizativos. Lo que hice por ellos no fue un arreglo momentáneo: fue el inicio de un proceso continuado que les ha cambiado la vida en casi todos los aspectos. En este libro no malgastaré tiempo diciéndole a la gente cómo pegar bonitas etiquetas con códigos de colores, tal como hacen tantos expertos en organización. Para mí, eso no es lo primero ni lo más importante que hay que hacer con las «cosas», sería demasiado superficial. Este libro te habla de cambiar la relación con tus cosas, de conservar las que dan sentido a tu vida, a tu vida real, no a la fantasía de lo que fue o de lo que pudo haber sido. Las cosas son secundarias, estás por encima de ellas, y eso debe reflejarse en tu hogar y en tu vida. Cuando resuelves el problema de los trastos, todo se aclara. Jared y Lisa lo hicieron, y tú también puedes.

En este libro empezaremos desde el principio, tal como hice con Jared y Lisa. Voy a ayudarte a definir con claridad la vida que quieres tener. Te pasearé por toda la casa, como hago con todos mis clientes, para ayudarte a valorar el estado de tu hogar sin dorarte la píldora. ¿Qué habitación es ésta? ¿Cuál es su función? ¿Qué es esto? ¿Contribuye de forma positiva a la vida que quieres? ¿Cuál es la emoción que te ata a este objeto y que te impide desprenderte de él? ¿Qué poder tiene este artículo sobre ti? Te guiaré a través del proceso para que comprendas tus prioridades y centres la relación con tus cosas. Aprenderás cómo y por qué la utilización que haces del espacio no coincide con tus prioridades. Ése es el primer paso.

Pero no me detendré ahí. Una vez te hayas enfrentado a los obstáculos físicos y emocionales del desorden, trabajaremos para vencer la sensación de que «esto es demasiado». Voy a guiarte, paso a paso, por el programa que ayudó a Jared, a Lisa y a cientos de personas a vencer su problema. Descubrirás cuáles son los tuyos. Examinarás lo que el desorden y la acumulación están haciendo con tu vida. Decidirás cómo quieres que sea tu hogar. Responderás, como persona o como familia, a una serie de preguntas esenciales que hago a todos mis clientes. Como familia, decidirás para qué sirve cada habitación y cómo debes llenarla. Trabajo, juego, comida, diversión y todo lo demás tendrá su espacio asignado, funcional, exclusivo, que dará a cada una de esas actividades una nueva claridad. Recorreremos juntos la casa, habitación por habitación, armario por armario, y nos libraremos de las cosas superfluas que te impiden tener la vida de tus sueños. Aprenderás a preguntarte: «¿Recuerdo siquiera lo que hay dentro de esas cajas? ¿Lo necesito? ¿Lo respeto?» Ni te imaginas cuánta gente sigue conservando el cordón umbilical de su hijo o los primeros pañales que ensució (¡te lo aseguro!). ¿Es ésta la mejor forma de recordar los primeros días de un bebé?

Quizá tus problemas no sean tan graves, quizá no te estás ahogando en trastos, pero te has quedado sin espacio en casa y quieres encontrar una forma de ordenar tu hogar. ¡Genial! Te replantearás la organización y tendrás más espacio y claridad. Y las buenas noticias son que, cuanto menor sea tu problema, menos tardarás en resolverlo.

Si estás al otro extremo del espectro —si llevas toda la vida acumulando cosas—, el proceso será un poco más lento. Si has estado diez años o más acumulando cosas, es imposible que desaparezcan de la noche a la mañana. Esto es un proceso de aprendizaje. Puede que necesites empezar poco a poco y que tardes en descubrir que sin tantos trastos tu vida es mejor, no peor.

Por fin hemos terminado el trabajo: las mesas están despejadas, los armarios libres de esqueletos, las estanterías se recuperan de su casi completo colapso. De las cajas de recuerdos habrás recuperado lo más importante, lo más simbólico, dándole un lugar de honor en tu hogar y habrás tirado, regalado o vendido el resto. La mesa del comedor, que era un depósito de correo comercial desde hace diez años, ha recuperado su lugar como centro de reunión familiar. El dormitorio ya no está invadido por la ropa sucia y los juguetes, es un lugar pacífico donde encuentras fácilmente amor y sueño. Y cuando todo esté por fin en orden, te mostraré cómo mantenerlo para vivir siempre libre de trastos y acumulaciones.

Un año después de ayudar a Jared y a Lisa a ordenar y organizar su casa, recibí una invitación para una fiesta organizada por la pareja. Cuando crucé la puerta principal, vi un hogar del que cualquier familia se habría sentido orgullosa. Las superficies estaban despejadas y no había montones de cosas en ninguna parte. Incluso, cuando le eché un vistazo a la sala de estar, vi que Lisa tenía la mesa limpia y el estante de la pared, por encima de ella, dedicado a sus álbumes de recuerdos; el resto de la habitación era un lugar amplio y cómodo donde Cooper podía jugar. Cada cuarto tenía una función concreta y todo estaba en su lugar. Y lo mejor de todo, la casa reflejaba lo que eran Jared y Lisa: una familia feliz, productiva, de éxito, y se les notaba en la cara. Mientras Lisa me ofrecía una bebida, le dije: «¡Dime que esto está así de limpio y ordenado todos los días!» «Sabíamos que vendrías —respondió con una sonrisa—, así que hemos ordenado un poco... pero sólo hemos tardado una hora.» Por lo que a mí respecta, eso es todo un éxito.

Espero que este libro genere discusiones sinceras y provechosas entre tu pareja, tú y los demás miembros de la familia si los hubiere. El cambio es necesario y, a veces, un proceso muy duro. El compromiso es esencial, pero el resultado final merece la pena. Cuando termines de aplicar mi programa tendrás claras tus prioridades y contarás con las habilidades necesarias para defenderlas. Serás capaz de mirar a tu alrededor y ver las cosas que realmente quieres tener, que realmente necesitas. El hogar es el comienzo de cada día. Cambiarlo, cambiará tu vida.

PRIMERA PARTE

EL PROBLEMA DEL DESORDEN Y LA ACUMULACIÓN

1

ÉSTA NO ES LA CASA DE MIS SUEÑOS

Este libro ha llegado hasta tus manos por una razón, y no lo digo en sentido espiritual. Ha llegado hasta tus manos porque tú crees, o alguien que se preocupa por ti cree que tu vida mejoraría si pudieras librarte de la abrumadora cantidad de cosas que tienes en casa. Hay una razón por la que los trastos te abruman: todo lo que poseemos representa un recuerdo y una emoción que nos liga a él. A menudo asociamos a una persona, un hecho concreto o un momento memorable con las cosas que poseemos.

Si pudieras echarle un vistazo a una habitación y saber de inmediato todo aquello que necesitas imperiosamente y lo que nunca volverás a utilizar, no tendrías ningún problema, pero eso no es tan fácil. La mayoría de las veces, todo cuanto ves al contemplar tanto desorden es un desastre gigantesco e inabordable. Necesitas mirar tus cosas de un modo distinto. Necesitas aprender a ver lo que hay en una habitación y cómo valorarlo.

En este libro te ofrezco un programa sistemático que he desarrollado a lo largo de mis años como experto en el tema, años en los que he acudido a cientos de hogares y comprobado, de primera mano, los retos a los que todos nos enfrentamos en esta vida agitada, de ritmo frenético, que a tantos de nosotros nos parece normal. Así que confía en mí, funcionará. Toma aliento, prepárate y empecemos.

¿ERES UN ADICTO AL DESORDEN?

¿Tienes un problema de desorden? ¿Es muy grave? Responde a este cuestionario para descubrirlo.

CUESTIONARIO

1. ¿Podrías celebrar una fiesta sin tener que hacer primero limpieza general?
   a. Mis invitados podrían comer en el suelo. ¡Tráelos ya!
   b. Quizá mañana. La sala de estar es un desastre, pero puedo arreglarlo en unas cuantas horas.
   c. Yo no celebro fiestas. ¿No podemos ir a jugar a los bolos?

2. ¿Te cabe toda la ropa en los armarios?
   a. Por supuesto. La tengo organizada por temporadas y colores.
   b. Más o menos, creo, pero no tengo ni idea de lo que hay en el estante superior.
   c. Cuando abro la puerta, todo se me cae encima. ¿Eso es malo?

3. ¿Sabes, sin tener que rebuscar, dónde están las llaves del coche, las facturas sin pagar y la póliza de seguro de tu casa?

a. Naturalmente. ¿Quieres que te los enseñe?

b. Todo, excepto la póliza de seguro... Debe de estar en algún lugar de la mesa del despacho de mi esposo/esposa/pareja.

c. Claro. Dame diez minutos para buscarlos... o quizás una hora.

4. ¿Qué hay en este momento sobre tu mesa del comedor?

a. Cera de pulir y un trapo. La estaba limpiando ahora mismo.

b. Unas cuantas facturas... y la colección de dibujos de mi hijo.

c. Tantas cosas que ni se ve.

5. ¿Cuántas revistas tienes en casa ahora mismo?

a. Tres. El último número de las tres que compro regularmente.

b. Oh, muchas. Pero las necesito para mi trabajo.

c. Tengo todos los números de *National Geographic*. Es una colección impresionante.

6. ¿Cuántas bolsas de papel y plástico guardas?

a. Unas cuantas. Las usamos para almacenar los periódicos antes de llevarlos al contenedor de reciclaje.

b. Una caja abarrotada. Nunca sabes de qué tamaño puedes necesitar una.

c. Todas las que entran en casa.

7. Responde a las siguientes preguntas con un sí o un no.

a. Si tuvieras que cambiar una bombilla, ¿sabrías dónde encontrar una nueva?

b. ¿Tienes todos tus DVDs y CDs en sus correspondientes estantes?

c. ¿Están los juguetes de los niños por todas partes, excepto en su cuarto o las zonas reservadas para que juegue?

d. ¿Hay platos sucios en el fregadero?

e. ¿Hay ropa sucia por todas partes, excepto en la cesta correspondiente?

f. ¿Tienes medicinas caducadas en el botiquín?

g. ¿Tienes todas las facturas pagadas y el papeleo archivado?

h. ¿Puedes ponerte todas las prendas que tienes en el armario?

¿HASTA QUÉ PUNTO ERES DESORDENADO?

Puntuación:

Preguntas 1 a 6: Suma cero puntos por cada respuesta A, un punto por cada respuesta B y dos puntos por cada respuesta C.

Pregunta 7: Suma un punto si has respondido: a) no; b) no; c) sí; d) sí; e) sí; f) sí; g) no; h) no.

Suma todos los puntos.

Si has obtenido:

10-20 puntos: Ay, ay Por lo visto eres un **ACUMULADOR DE PRIMERA**. Es sorprendente que hayas encontrado un bolígrafo para rellenar este cuestionario. Pero no te lo tomes demasiado a mal, ni te sientas abrumado: el primer paso es admitir el problema. Iremos paso a paso y adecuaremos el programa para que te funcione. Recuerda, mientras lees este libro, que a veces una primera ronda de orden no basta. Unos cuantos meses después de la primera criba mirarás las mismas cosas de las que creíste no poder prescindir y comprenderás que desde entonces ni siquiera las has tocado. Se tarda tiempo en acostumbrarse a la idea de que si no usas algo, si forma parte de tu vida, si no sirve a tus objetivos, es un puro gasto de espacio. Llegarás a ello, te lo prometo.

3-9 puntos: Buenas noticias. Eres una **VÍCTIMA DEL DESORDEN.** Puede que no te parezcan buenas noticias, pero significa que tú, como tantos otros, has caído en un desorden y una acumulación difícilmente evitables cuando se tiene una vida ocupada, intereses diversos, ingresos, recuerdos familiares y un flujo constante de compras y de correo comercial. No te preocupes, con un esfuerzo razonable serás capaz de controlar tus problemas y recuperar el control.

0-2 puntos: ¡Felicidades! Eres una **PERSONA ORDENADA.** Date una palmadita en la espalda, pero no te confíes. Mantenerse así cuesta trabajo. ¿Tienes una pequeña habitación dedicada a los trastos o un despacho en casa donde se acumula el desorden? Entonces, puedes saltarte directamente esta sección para atacar tu problema frontalmente. Y no te pierdas el paso 6: Nuevos rituales. El calendario de rutinas mensuales te ayudará a mantener tu casa ordenada y pulcra.

ECHA UN VISTAZO A TU ALREDEDOR

Los trastos tienen una manera sibilina y sigilosa de instalarse y apoderarse de nuestros hogares. Llega un punto en que casi dejamos de verlos y parece que nuestros sentidos se desconectan. Todos los días pasamos por encima de ellos o los rodeamos, y aun así somos aparentemente incapaces de librarnos de ellos. Echa un vistazo a esos síntomas comunes de la acumulación, ¿no te resultan demasiado familiares?

¿Dónde se han ido todos los espacios vacíos?

Los espacios vacíos son el primer campo de batalla que pierdes en la guerra contra tus cosas. ¿No puedes trabajar en tu mesa preferida porque está cubierta de papeles? ¿Y la mesita de café? ¿Cuánto hace que están ahí esas revistas? ¿Hay suficiente sitio en tu encimera para preparar la comida o está llena de electrodomésticos, cajas de cereales y recipientes de todo tipo? La parte superior de la televisión no está pensada para servir de estantería, como tampoco lo están la mayoría de los alféizares de las ventanas. ¿Está tu cama cubierta de ropa? Y el mayor espacio plano de tu casa, el suelo, ¿ha desaparecido? Si los trastos se han adueñado de las superficies de tu casa, es hora de recuperarlas.

¿Todo cumple su función?

¿Cómo sabes si tus cosas empiezan a dominarte? El cegador aviso es algo que a mí me gusta llamar «sistema sobrecargado». El sistema está sobrecargado cuando tus habitaciones pierden su función. Una encimera que debería usarse para preparar la comida se convierte en una estantería para dejar toda clase de cosas; una mesa se convierte en una plataforma donde se amontonan montañas de papel; tienes demasiados platos, así que usas el lavavajillas para guardarlos... Mis clientes, Owen y Gina, eran así: apilaban diccionarios de medicina en la bañera de la habitación de invitados. En los casos más agudos, cruzar una habitación se convierte en una carrera de obstáculos. Gina estaba tan ocupada guardando todas y cada una de las prendas de ropa de su hijo Michael, que había atestado lo que, de otra manera, habría sido una preciosa habitación de juegos para él.

Normalmente, a la sobrecarga de un sistema se llega de forma gradual. No es que un día te despiertes y tomes la decisión de llenar el sótano con los muebles viejos del jardín o que la ropa fuera de temporada ocupe el lugar que debería servir para que la familia se reúna a ver la película de la noche. Dejas de tomar decisiones acerca de cómo quieres utilizar el espacio del que dispones porque estás demasiado ocupado buscando dónde meter tus trastos. Cuando las cosas se guardan en las habitaciones que no les corresponden y no sirven de nada, es que ya no controlas tu desorden. El desorden te controla a ti.

Piensa en tu casa. ¿Sirve cada habitación para la función prevista? ¿Toda pieza de mobiliario, encimera o electrodoméstico se utiliza para lo que estaba pensado? Si la respuesta es no, es hora de replantearse el uso de los espacios.

¿CUÁL ES EL COSTE DEL DESORDEN?

Nadie es perfecto. Mi amigo Nico suele decir: «¿Quién quiere ser absolutamente limpio y organizado? Eso no es divertido.» No es necesario llevar una vida estéril y soy el primero en oponerme. La vida es para vivirla, desde luego, pero tu desorganización puede cruzar esa línea. Piensa en lo que te está costando... seguramente te afecta en más aspectos de lo que crees.

¿Qué te cuesta emocionalmente?

A menudo conservamos cosas que no necesitamos porque nos sentimos emocionalmente ligados a ellas. Hace poco me abría camino en un garaje atestado y encontré una bicicleta oxidada y rota. Pregunté por ella a mi clienta, Patti. Se le iluminaron los ojos y me dijo que aquella bicicleta le hacía pensar en su infancia, en su hermano y en cómo hacían carreras en torno a la casa. Lo que ella y yo veíamos contemplando aquella bicicleta eran dos cosas completamente distintas. Nuestras posesiones pueden recordarnos un tiempo pasado o a alguien a quien hemos perdido. Un juego de porcelana china es la herencia familiar de una abuela a la que queríamos; esa cuna de mimbre es el recuerdo de una época que nunca volverá; esos pompones de animadora han sido testigos de «los mejores tiempos» de tu vida... Pero ya es hora de enfrentarse a las emociones que surgen cuando se vive en una casa atestada. Nadie debería sentir estrés cuando abre la puerta de su propio hogar, nadie. Tu hogar tiene que estar bajo control, debería ser el lugar donde te refugias de todas las fuerzas negativas del mundo. Tu hogar debería ser el antídoto del estrés, no la causa.

¿Qué te parece tu vida?

Quizá creas que tus problemas no son tan sencillos, que no puedes limpiar la casa y hacer que todos los problemas desaparezcan. Cierto. La organización no es un sustituto de la psicoterapia. Pero te diré una cosa: si tu hogar es un desastre, si se te ha ido de las manos, es casi seguro que tus relaciones se están resintiendo por ello. Una pareja con la que trabajé llevaba casada cinco años. Su hogar estaba lleno de muebles a los que se referían como «de él» o «de ella». Cuando decidieron vivir juntos, cada uno aportó un montón de pertenencias a su relación, y nunca se habían sentado a pensar cuál era para «ambos» su nuevo espacio ideal. Luchaban constantemente contra el desorden, apenas podían funcionar en su espacio común y, aun así, se preguntaban por qué su vida emocional se estaba haciendo pedazos. Para mí, la solución era obvia: acabar con el desorden de su espacio físico era el primer paso para acabar con el desorden de su mente y de su relación.

¿CÓMO HEMOS LLEGADO HASTA AQUÍ?

En Estados Unidos tenemos una epidemia nacional de trastos. Vivimos en una de las naciones más prósperas del mundo y medimos nuestro éxito por la acumulación de cosas. Allí donde miramos, vemos reclamos para que compremos más y más. ¿Amas a tus hijos? Si es así, quieres que tengan la mejor ropa, los mejores juegos, el mejor equipamiento para practicar deporte o el último modelo de consola de videojuegos. ¿Has conseguido un aumento de sueldo o un trabajo mejor? Entonces, es hora de tener una televisión más grande, un flamante coche nuevo o más (y más cara) ropa nueva. En familias con dos sueldos, sin apenas tiempo para relajarnos, intentamos ser felices comprando más cosas. Allí donde miramos, nos dicen que más es mejor: aumentamos el tamaño de nuestras raciones de comida o compramos dos artículos por el precio de uno en vez de comprar uno a mitad de precio. Pero, para muchos, está claro que en lugar de conseguir más felicidad y más paz mental, todas esas cosas sólo provocan estrés y nos alejan de nuestra familia, nuestros amigos, nuestros sueños... Algunas cosas mejoran la vida, de acuerdo, naturalmente que la mejoran. ¿Quién puede discutir que lo hacen una casa cómoda y un coche bonito? Pero, ¿dónde está el límite? ¿Sabes que el tamaño medio de una casa nueva en Estados Unidos ha aumentado casi un 50% en los últimos treinta años? Y eso que el tamaño medio de la familia ha disminuido. Al tener más espacio, sentimos la urgencia de llenarlo con más cosas. Por desgracia, más cosas no garantizan más felicidad. Y cuando esa felicidad no llega, compras más pensando que ésa es la respuesta, que todavía no tienes suficiente. En vez de acercarte a tu ideal de vida, tus cosas te entorpecen el camino.

Ingresos disponibles

¿Qué son todas esas cosas que seguimos comprando? Un montón de ellas son cosas que adquirimos con el dinero que llevamos encima, en la cartera, los bolsillos o el bolso. Te sorprendería saber en qué gastan su dinero de bolsillo la mayoría de estadounidenses.

En un año, más de dos tercios de las familias de Estados Unidos gastan una parte considerable de su dinero de bolsillo en vídeos y DVDs, música y CDs, libros y revistas, productos de cuidado personal y velas. Más de un tercio de las familias compran artículos coleccionables, material para manualidades y material deportivo. No es sorprendente que la forma en que gastamos nuestro dinero varíe según el sexo: los hombres compran más tecnología (televisiones y vídeos) y artículos deportivos, mientras que las mujeres compran más libros, revistas, productos de belleza y material para manualidades.

No hay nada malo o erróneo en estas compras —algunas

son educativas o de entretenimiento—, pero, ¿cuántas de ellas tienen un valor perdurable? ¿Qué puedes enseñar al final del año por el dinero que has gastado? ¿Está tu hogar equipado con artículos más valiosos y útiles o sólo tiene más trastos? No importa cómo lo disfraces, no hay forma de eludir la verdad: los problemas de desorganización de mucha gente se deben a la cantidad de cosas que tenemos y no necesitamos. Cosas que compramos para nuestro propio placer, a menudo de forma impulsiva, poco útiles a largo plazo y que contribuyen escasamente a nuestra calidad de vida.

La nueva plaza del pueblo

¿Quién puede culparnos del consumismo? A lo largo y ancho del país, las galerías comerciales se han convertido en la nueva plaza del pueblo. Pasamos nuestro tiempo de ocio y recreo en esas galerías, incluso los clubes de paseantes van a las galerías para hacer ejercicio. Mientras crecemos, las galerías comerciales nos proporcionan a muchos la primera experiencia de libertad: es el primer lugar por el que nuestros padres nos dejan vagar solos, diciéndonos que ya nos encontraremos con ellos una hora después. Así es como nosotros —o nuestros hijos— llegamos a asociar la libertad social con un entorno de consumo. No me extraña que volvamos a él como adultos, una y otra vez.

No son únicamente las experiencias de la infancia las que nos arrastran a las galerías comerciales; al fin y al cabo, comprar es la forma más accesible de estimulación. Cuando estás aburrido y buscas algo que hacer un sábado por la tarde, ir de compras es mucho más fácil que planificar un picnic. Y ni siquiera tienes que preocuparte por si llueve. Es más, hay tanto que mirar... En los años cincuenta del siglo pasado, una típica tienda de barrio tenía 1.000 artículos más o menos; ahora, en unos grandes almacenes de la cadena Wal-Mart hay 130.000 artículos que representan horas y horas de exploración y de potenciales compras para toda la familia. Y la terapia de compra no es desdeñable. Tener cosas nuevas resulta excitante y te hace sentir que estás cambiando tu vida para mejor: que tu piel será más suave, que tendrás algo mejor que ver en la tele o que un nuevo abrigo impresionará a tus colegas. ¿Te has marchado alguna vez de unos grandes almacenes o de unas galerías comerciales sin hacer una sola compra? Es muy, muy difícil.

Despídete... para siempre

Ya te he dicho que no estás solo, la mayor parte de los países occidentales tiene un problema de sobreacumulación. Te quedará meridianamente claro si te paras un minuto a pensar cuántas empresas de trasteros han abierto en tu vecindario.

¿Qué tiene de malo alquilar espacio para almacenar cosas?, te estarás preguntando. No es una forma de enfrentarse a la acumulación. Estás guardando cosas que no necesitas o no quieres, enviándolas a un agujero negro del que probablemente nunca las recuperarás... y estás gastando un dinero mensual por almacenarlas.

Míralo desde un punto de vista económico: incrementas tus gastos sin incrementar tu nivel de vida. ¿Vale la pena? Plantéatelo desde una perspectiva psicológica: estás ocultando cosas que deberías afrontar, posponiendo la papeleta a una fecha futura indeterminada. ¿Es así como te enfrentas a todos tus problemas? Espero que no. Mira, si has sufrido un repentino cambio de vida, vale, aflojaré un poco la cuerda. Pero si alquilas ese espacio por más de un año, tienes que aceptar que ese cambio no es temporal, que en realidad tu vida ha cambiado. Necesitas afrontar ese cambio frontalmente.

Recuerda que estás empezando un proceso que te ayudará a cambiar la forma de ver tus cosas. Estoy aquí para ayudarte a descubrir lo que es realmente importante para ti y lo que tiene significado en tu vida. Comencemos.

2

EXCUSAS, EXCUSAS

Adquirimos cosas a lo largo de toda nuestra vida. Unas nos las dan, otras nos las dejan, algunas las encontramos y la mayoría las compramos. Todo lo que está en tu casa, está allí con tu permiso. Todo lo que está en tu casa, lo está porque crees que es la respuesta a algo, te evoca recuerdos, te promete algo o sirve a un propósito. Si vas a viajar a una zona nevada, puede que necesites esquís; si tus hijos quieren copias de los álbumes familiares, puede que necesites los negativos; si organizas una fiesta para veinte personas, puede que necesites esa vajilla china; si miras los anuarios del instituto, recordarás los buenos viejos tiempos que pasaste allí; si lees todos los libros que has comprado, serás una persona más culta... Pero, si todo eso es verdad, ¿por qué estás leyendo este libro? ¿Es posible que lo hayas comprado porque las cosas que posees no contribuyen al tipo de vida que querías? Tener demasiadas cosas puede crear una barrera física entre lo que es realmente importante y tú.

Para la mayoría de la gente con la que he trabajado, esta sensación de inquietud por lo que poseen crece y crece con el tiempo hasta que casi los aplasta. Odian la enorme cantidad de trastos y la vida desordenada que llevan, pero son incapaces de cambiar. En el fondo saben que tienen demasiadas cosas, pero siguen comprando más; ven que su hogar ya está abarrotado, pero siguen llevando más cosas sin eliminar nada de lo que ya tienen. Esta acumulación de objetos tiene un poder sorprendente: el poder de paralizar y controlar.

Crees que todo lo que posees tiene mucho valor para ti, pero estás leyendo este libro porque no te gusta la forma en que ha llegado a dominar tu vida. Dices que quieres librarte de ello, pero algo se interpone en tu camino; no sólo eres incapaz de ver todas esas cosas como prescindibles, sino que tampoco soportas la idea de librarte de ellas. He oído toda clase de excusas y estoy seguro de que la tuya también.

EXCUSA N.º 1: «ALGÚN DÍA PUEDO NECESITARLO»

Algunos tenemos miedo de los misterios que encierra el futuro. La vida puede dar muchas vueltas, ¿quién sabe lo que ocurrirá mañana? Y tú quieres estar preparado. No puedes tirar esa colección de cajas de zapatos vacías... ¡tu hija podría necesitar alguna para un proyecto escolar! No puedes librarte de esos vaqueros que te han quedado pequeños... ¿y si pierdes diez kilos? Esa ropa antigua y extraña podría llegar a servirte para una fiesta de Halloween o para un disfraz, por no hablar del montón de entradas de cine y teatro para colocar en un álbum de recortes que algún día puede que tengas tiempo de empezar, o de los juguetes rotos que siempre tienes intención de arreglar. Esto es la trampa llamada «algún día puedo necesitarlo».

Sabemos que lo inteligente es planificar las cosas. Todos tenemos proyectos que nos vemos obligados a aplazar. La mayoría experimenta cambios corporales a lo largo de su vida y la moda cambia. Es difícil desprenderse de cosas que no parecen haber cumplido su propósito: esos vaqueros eran caros y sólo te los has puesto una vez; esa lámpara funciona perfectamente, lo que ocurre es que no cuadra con la decoración de la casa... Es normal conservar una o dos cosas de un tamaño razonable si tenemos una razonable esperanza de utilizarlas en el futuro, pero seamos sinceros: ¿conservamos únicamente un par de cosas o guardamos suficientes trastos para amueblar todo un universo alternativo en el que un tú más delgado utiliza cada mañana esa máquina para fortalecer los abdominales, antes de guardar todas las fotos en un álbum nuevo y, después, dona esa peluca vieja que guardaba para una fiesta de disfraces en la que todo el mundo podrá sentarse gracias a las sillas que han estado languideciendo durante los últimos seis años en el sótano?

La desorganización nos impide vivir el presente. El futuro es importante, pero tienes que pensar en tu calidad de vida actual y conseguir un equilibrio entre cómo vives hoy y la multitud de posibles caminos por los que tu vida puede transcurrir en el futuro. Conservamos un montón de trastos «por si algún día los necesitamos» y pasamos horas preocupándonos por ese futuro desconocido para el que queremos estar preparados, un futuro sobre el que no tenemos ningún control y que, precisamente por eso, tememos. La acumulación de cosas se convierte de alguna manera en un bote salvavidas para todos los «por si acaso» que se nos ocurren.

Nos concentramos tanto en lo que podremos hacer con los trastos, que somos incapaces de centrarnos en el presente y vivir plenamente, aquí y ahora. Intentar estar preparado para el futuro es algo maravilloso, pero no cuando nos preocupa tanto que nos olvidamos de que el único tiempo del que realmente disponemos es el presente. Si no vivimos el presente, pasarán días en los que apenas seremos conscientes de lo que tenemos y de lo que podemos conseguir. Si nos concentramos constantemente en lo que podrá ser, perderemos el presente y, el presente, nos guste o no, es lo único que tenemos.

La mayor parte de las cosas que guardas para un futuro representan esperanzas y sueños. Pero el dinero, el espacio y la energía que gastas intentando crear ese futuro son dinero, espacio y energía malgastados. No podemos controlar lo que nos depara el mañana. Esas cosas que atesoramos para un imaginario futuro no hacen más que limitar nuestras posibilidades y frenar nuestro crecimiento. Cuando te insto a librarte de ellas, no te estoy diciendo que renuncies a tus esperanzas y tus sueños. En realidad es exactamente lo contrario, porque si eres capaz de tirar las cosas que no representan tus sueños y tus esperanzas, estás ganando espacio para que esos sueños se conviertan en realidad.

EXCUSA N.º 2: «ES DEMASIADO VALIOSO PARA TIRARLO»

Conservamos nuestras posesiones porque creemos que son valiosas para nosotros y para otros, para nuestra familia, para nuestros sueños o para nuestra propia historia personal. Y definimos ese valor de muchas formas distintas.

Valor sentimental

¿Conservas tus cosas porque «me recuerdan el pasado»? ¿Te preocupa, desprendiéndote de algo en particular, perder los recuerdos que te evoca? ¿Se ha vuelto borrosa la línea entre el recuerdo y el propio objeto? ¿Temes, si tiras ese cuadro, ese montón de fotos enmohecidas o esa colección de lápices de dibujo, perder para siempre la parte de tu pasado que representan?

Historia familiar

Si eres el historiador oficial de la familia, eres el encargado de mantener viva su leyenda. Por lo tanto, no crees tener derecho a librarte de los «recuerdos familiares» porque no te los han dado, te los han «confiado». Ahora eres responsable de lo que les suceda.

Si se supone que esos artículos son tan importantes, la pregunta es: ¿cómo los tratas? ¿Tienes «reliquias familiares» escondidas en el sótano? ¿Ocupan espacio en tu armario? ¿El lugar que le has destinado a eso «tan importante» corresponde al valor que tú dices que tiene? Quienes me conocen o me han visto en acción, saben que en este asunto soy implacable. No me digas que algo es importante, que tiene mucho valor personal o que es una reliquia familiar si está cubierto de polvo, perdido entre un montón de otros trastos o enterrado en algún lugar de tu garaje. Si tanto valoras una cosa, necesitas tratarla con el respeto que se merece. Si no es así, no tiene sitio en tu hogar. No se discute ni se negocia, a la basura. Porque la valoras o no la valoras. O tienes un espacio para ella o no lo tienes, así de simple. Si todos viviéramos en palacios, tendríamos infinito espacio para exponer nuestras más preciadas posesiones y enorgullecernos de ellas. A lo mejor tú has destinado una habitación entera a las figuritas de porcelana que heredaste de tu abuela, pero la mayoría no vivimos en un palacio, ni mucho menos. No puedes quedarte con todo, así que debes elegir. El valor que dices que tiene una cosa debe quedar reflejado en el lugar que le otorgas en tu vida; de otro modo tus palabras nada significan y el objeto en cuestión es poco más que un trasto.

Logros personales

Parte de la basura que veo incluye los recuerdos de grandes logros personales, a menudo de épocas pasadas: cajas con los trabajos del instituto en los que trabajaste horas y horas, cajones llenos de deberes escolares que marcaron tu crecimiento intelectual; paredes llenas con trofeos de torneos de golf del instituto... Si bien todo eso tiene un indudable componente sentimental, se debe por regla general mucho más al esfuerzo sostenido, las horas de práctica o el sacrificio personal que nos llevaron a alcanzar una meta concreta. En parte tienes miedo de que si pierdes esos objetos, vayas a perder también la sensación de logro personal e incluso olvidarás el esfuerzo que dicho logro te exigió hace tantos años.

La acumulación hace que nos olvidemos de lo realmente importante. Eres sentimental, valoras tu historia familiar... y eso es estupendo. Pero, a veces, ese sentimiento tiene un coste demasiado alto. He trabajado con familias que no recibían visitas desde hacía años porque les daba vergüenza el desorden. La hija pequeña de nueve años de una de esas familias no había comido ni una sola vez en su vida en la mesa del comedor porque jamás la había visto libre de la acumulación de papeles que la cubría por completo. ¿Crees que la niña invitó a dormir alguna vez a una sola de sus amiguitas o que sabía lo que era sentirse orgullosa de su casa?

Las cartas que irán apareciendo a lo largo de este libro son algunas de las muchas notas y *e-mails* que recibo a diario. En algunos casos he cambiado los nombres o eliminado detalles que pudieran identificar a sus remitentes, pero los sentimientos son auténticos y las personas que los expresan son de carne y hueso.

Querido Peter:

Nunca lo he confesado en voz alta, pero nuestro apartamento está tan atestado que hace años que no recibimos visitas de la familia ni de los amigos. La mera idea de que alguien vea lo que hay al otro lado de la puerta de entrada me avergüenza demasiado. Peor todavía, nunca he dejado que nuestros tres hijos traigan a un amigo. La acumulación se ha cruzado en el camino de nuestra felicidad familiar y de nuestra capacidad para relacionarnos con los demás. ¿Por qué tenemos tantas cosas? Eso nos ha convertido en personas ansiosas y furiosas.

Sarah y Rob son los padres de tres hijos preciosos, el más pequeño de los cuales tiene cinco años. Cuando los conocí, su dormitorio era zona catastrófica. Su armario ropero estaba atestado de ropa de bebé que ya no necesitaban y todo un lado estaba ocupado por una preciosa pero inútil cuna de mimbre. Rob había intentado repetidamente que Sarah se desprendiera de parte de la ropa de bebé, pero ella era incapaz. Estaban de acuerdo en no tener más hijos, así que ¿por qué seguían teniendo la cuna y otros artículos para recién nacido? Era una situación clásica: el problema no eran las cosas, sino que lo tenían las personas. La raíz del mismo quedó al descubierto con una simple pregunta. Le pregunté a Sarah si creía que los mejores momentos con sus hijos eran los ya pasados o los que todavía estaban por llegar. Se le inundaron los ojos de lágrimas, temía que los mejores momentos ya hubieran pasado, así que se aferraba a las cosas que le recordaban los buenos momentos vividos con sus hijos. Una idea aterradora, claro. La única forma de descubrir lo que le reservaba el presente era vivirlo; aferrarse desesperadamente al pasado sólo le impedía disfrutar del presente. Si dejas que esa nostalgia invada tu casa, estás impidiendo a tu familia llevar una vida digna de ser recordada. Irónico, ¿verdad?

Si un recuerdo es importante, concédele un lugar importante. Busca la forma de cuidarlo y de enseñarlo. Si no lo tratas dignamente, con respeto, ni sabes cómo hacer tal cosa, entonces líbrate de él.

EXCUSA N.º 3: «NO PUEDO TIRARLO... VALE UN MONTÓN DE DINERO»

Los trastos más difíciles de tirar son los que, en teoría, tienen mucho valor. He visto armarios con una tonelada de ropa que conservaba la etiqueta, garajes llenos de herramientas jamás usadas, patines en línea nuevos debajo de una cama, armarios de cocina a punto de reventar de yogurteras que jamás se han sacado de su caja o de máquinas de hacer pan. Pagaste mucho dinero por esos esquís, te fracturaste la rodilla y, claro, no los has tocado desde hace años, pero... ¿y si tu hijo los quiere algún día? ¿Y ese televisor roto? Tienes uno nuevo en el salón y nunca has llevado el otro a reparar. Como gastaste mucho dinero en todas esas cosas, mantienes la esperanza de que conserven buena parte de su valor, pero han perdido su utilidad. El televisor no funciona, nunca has usado esos patines en línea, hace años que planeas vender ese cofre antiguo... así que estás perdiendo un montón de espacio por nada de dinero.

La acumulación nos cuesta dinero. Soy el primero en admitir que comprar todas esas cosas que no utilizas te costó tu buen dinero, pero piensa en lo que te está costando conservarlas. Piensa en lo que pagas por el alquiler o la hipoteca de tu casa: cada metro cuadrado te cuesta dinero. Así que si tienes un dormitorio atestado de trastos y, por tanto, inutilizado, estás malgastando cada mes una buena parte de tu gasto inmobiliario en ese cuarto inaccesible. ¿Merece esa habitación el «coste de almacenamiento» que estás pagando? ¿Es una forma sensata de utilizar ese espacio?

Piensa en qué otras formas pagas por las cosas que tienes en casa. Sería relativamente fácil calcular cuánto has gastado en ese cúmulo de cosas que llena tu hogar, pero debes hacerte una pregunta quizá más importante: ¿qué te están costando ahora esas cosas, más allá del inicial desembolso monetario, en estrés, salud, relaciones con los miembros de tu familia, vergüenza...? La naturaleza del coste puede ser de muchos tipos.

Y no olvides el dinero que te has gastado en las cosas que nunca has llegado a usar. Podrías habértelo ahorrado y haberlo invertido en unas vacaciones o en clases particulares para tus hijos. Esas cosas que te han costado dinero y que ahora llenan tu casa, ¿te hacen más feliz? ¿O serías más feliz con menos cosas y con más dinero?

EXCUSA N.º 4: «MI CASA ES DEMASIADO PEQUEÑA»

No hay nada malo en esperar que tus circunstancias personales mejoren. Si todo va bien, es lo que ocurrirá: tendremos un coche mejor, comeremos en mejores restaurantes, iremos de vacaciones a lugares más exóticos, nos trasladaremos a una casa más grande o a un barrio más selecto. Forma parte del sueño americano estar siempre planeando una mejora de nuestro estándar de vida.

Los trastos nos roban espacio. ¿Eres capaz de moverte por tu hogar mientras esperas que se cumpla tu sueño? Es tan sencillo como sumar dos y dos: no puedes guardar cosas en un espacio inexistente. Sin embargo, me encuentro una y otra vez con gente que intenta lograr algo físicamente imposible. Repite conmigo: «Sólo tengo el espacio que tengo.» Y vuelve a vivir en el presente. Necesitas espacio para llevar una vida feliz y fructífera. Si llenas el que tienes ahora con cosas para «la próxima casa», tu vida actual se resentirá. Deja de decir que tu casa es demasiado pequeña. La cantidad de espacio de que dispones no puedes cambiarla, pero la cantidad de cosas que posees, sí. Es decisión tuya: o te trasladas ahora mismo a una casa más grande (y subrayo ahora mismo) o te libras de algunos trastos. Guardarlos para «algún día» no merece la pena. Si realmente vas a ser mucho más rico, podrás permitirte comprar lo que necesites cuando lo necesites.

Y otra cosa: que dispongas de espacio libre no significa que tengas que llenarlo obligatoriamente. Cuando digo que necesitas espacio para respirar, quiero que comprendas exactamente lo que quiero decir. Comprométete a tener espacios abiertos en tu casa, sin aglomeraciones, y pronto descubrirás que el ambiente que creas externamente empieza a llenarte internamente. En un espacio libre de trastos tendrás claridad, perspectiva, enfoque y sensación de franqueza.

EXCUSA N.º 5: «NO TENGO TIEMPO»

¡Ojalá tuviera diez dólares por cada vez que he oído esa excusa! La vida es corta... realmente corta. Y la tuya es una vida ocupada, por supuesto: muchas horas de trabajo y cada vez serán más; tienes que entretener a los chicos o hacer de chofer llevándolos de una actividad a otra... nunca se acaba. Los fines de semana son preciosos, no cabe duda, y lo último que deseas es pasar tu escaso tiempo libre librándote de los trastos. Si lo piensas bien, ni siquiera tienes tiempo libre; si tuvieras un día libre te encantaría hacer limpieza, pero...

La acumulación monopoliza nuestro tiempo. ¿Cuánto tiempo pierdes buscando las llaves, una factura impagada o la autorización para la excursión de tu hijo? ¿El escuchar tu CD favorito implica una ímproba búsqueda por tu desorganizada colección de música? ¿Buscar un lugar para que tu hijo haga sus adornos de Halloween requiere mover montones de papeles y una infructuosa búsqueda del material del año pasado? El tiempo que pierdes a causa de tu desorganización se duplica cuando consideras el tiempo, la energía y el esfuerzo que te van minando mental y psicológicamente. Un efecto del desorden es que gastas toda tu energía enfrentándote al desastre, en lugar de gastarla en cosas que realmente importan. Da igual lo lejos que hayas llegado, debes conseguir tiempo para librarte de tus trastos, es una inversión en ti mismo que cambiará las cosas. Y una vez realizada esa inversión y cambiado el orden de tu hogar, recuperarás el tiempo perdido. Con intereses.

EXCUSA N.º 6: «NO SÉ CÓMO HE LLEGADO A ESTE PUNTO»

No eres un gran derrochador, no compras mucho y puede que no colecciones nada. Vives tranquilamente trabajando, comiendo, durmiendo y relacionándote con los demás. Incluso así, a medida que pasa el tiempo, tu hogar está más y más atestado: revistas, libros, vídeos, ropa, regalos... lo normal en la vida diaria. Y, además, quizás hayas heredado cosas de tus padres o tus hijos se han ido a la universidad, dejándote los restos de su juventud. Es fácil acumular cosas, pero difícil librarse de ellas. Créeme: si siempre sumas y nunca restas, terminarás enterrado. Necesitas ponerte límites y esos límites son fáciles de imponer, vienen determinados por la cantidad de espacio de que dispones según tus prioridades e intereses, y por los acuerdos a los que llegues con el resto de los miembros de tu hogar.

El desorden domina tu casa. Algo que no deja de sorprenderme es que, a pesar de la cantidad de cosas acumuladas en una casa, a menudo uno se sorprende de que estén allí, casi como si algún desconocido la hubiera llenado mientras estabas de vacaciones. La gente admite sin tapujos que son sus trastos, pero, un segundo después, me dicen que no saben cómo han llegado a ese punto.

Tus posesiones son tuyas. Lo que tienes es tuyo o está a tu cuidado, así que es tu responsabilidad. Sólo tuya. Cuando la desorganización nos abruma, algo cambia en la relación con nuestras cosas. Por la razón que sea, transferimos el control a las cosas que poseemos. Por culpa del desorden no podemos invitar a nadie a casa, no encontramos las cosas, no podemos movernos libremente por nuestro espacio a causa de las restricciones que nos impone esa desorganización. No te cruces de brazos ni actúes como si todo estuviera más allá de tu control, no se arreglará solo. ¡Organízate!

EXCUSA N.º 7: «NO ES UN PROBLEMA, PERO MI ESPOSO/ ESPOSA/PADRE/HIJO CREE QUE SÍ»

Si ésa es tu excusa, probablemente estás leyendo este libro (o sólo este capítulo) porque alguien te ha obligado a hacerlo. ¡Quizás incluso está mirando por encima de tu hombro mientras lees! Te sientes cómodo en medio de tu desorden, no te molesta. Tu hogar está «vivo» y te gusta así. Prefieres vivir tu vida que convertirte en un señor o una señora de la limpieza.

Puede que tu colección ocupe mucho espacio, pero merece la pena.

En un evento reciente se me acercó una pareja. La esposa se quejaba amargamente de que su marido conservaba las cajas originales de todos y cada uno de los elementos del equipo electrónico que había comprado en su vida, y ella lo encontraba ridículo. En cambio, él lo consideraba necesario por si acaso cambiaban de casa o tenía que devolver alguno de aquellos artículos. Le pregunté cuántas cajas guardaba en el sótano y me respondió que unas sesenta. Ella protestó, asegurando que eran más todavía. Entonces le pregunté cuántas cajas creía que debería tener él, y respondió que ninguna. Cuando le pregunté a él cuántas creía que sería razonable conservar, contestó tímidamente: «¿Diez?» Su esposa se opuso al principio, pero al final se mostró de acuerdo en que era un compromiso razonable. La sorpresa me la llevé cuando les pregunté cuánto hacía que discutían sobre ese tema. ¡Cinco años!

El desorden pone en peligro nuestras relaciones. La gente lucha contra el desorden. Cuando estoy trabajando con parejas, es frecuente que uno de los dos diga con vehemencia: «Tienes que decirle que se libre de _____.» A lo que, inmediatamente, sigue una dura réplica del otro. Con el paso de los años, las peleas aumentan y la gente se vuelve inflexible. Es el argumento ideal para quienes se empeñan en que la situación se convierta en un campo de batalla. Una vez escogido un bando, ambos se atrincheran. Para que uno venza, el otro tiene que perder. Si uno es feliz, el otro estará triste. Nada de esto es necesario ni sano. ¿Qué es más importante para ti: los trastos a los que te aferras o la relación con tu pareja? ¿Cómo quieres pasar el tiempo, discutiendo sobre cajas vacías o llegando a un acuerdo razonable? En las parejas, la clave para resolver el problema es la comunicación.

Querido Peter:

Ya no aguanto más. Mi esposo, con el que llevo casada veintitrés años, ha enterrado nuestra casa bajo veintitrés años de basura. Nunca ha tirado nada, lo juro. Nunca. Y si yo intento tirar algo, me lo encuentro a las dos de la mañana rebuscando en la basura para recuperarlo. Vivo en una trampa y apenas puedo ir de una habitación a otra. La «costumbre» de mi marido está destrozando nuestro matrimonio.

EXCUSA N.º 8: «ESO NO ES MÍO»

¿Cómo es posible que nuestra casa esté abarrotada de cosas de otros? Pedimos prestadas herramientas de jardinería y cunas, guardamos cosas de nuestros amigos y de familiares, nuestros chicos se marchan de casa pero dejan en su cuarto o en el garaje todo aquello que no quieren o todo lo que no les cabe en su nuevo domicilio... En una ocasión, conocí a alguien con habitaciones llenas de cosas de su ex pareja... ¡y se habían divorciado hacía ocho años! Eres una persona estupenda y nunca te tomarías la libertad de tirar las valiosas posesiones de otra... pero quizá deberías hacerlo.

Los trastos de otras personas nos roban oportunidades que deberían ser nuestras. Piensa en esto: hay mucha diferencia entre saber que tú posees algo y la sensación de que alguien te ha endosado algo. Guardar las cosas de otra persona es un gesto generoso, pero, de nuevo, se trata de una cuestión de equilibrio. Si tu hogar está hasta los topes de cosas que pertenecen a otros, tienes que hacerte dos preguntas obvias: si son tan importantes para esa otra persona, ¿por qué están en tu sótano? Y, ¿qué vida estoy viviendo, la mía, rodeado de las cosas que aprecio y valoro, o la de otra persona, agobiado por lo que no puede o no quiere llevarse de mi casa? Esto puede ser duro, pero tu hogar es precisamente eso: tu hogar. No lo conviertas en un almacén para los trastos de otro. No dejes que sus posesiones te controlen.

EXCUSA N.º 9: «ESTO ME SOBREPASA»

Siento mucha simpatía por esta excusa. No estás diciendo que la acumulación tenga un objetivo, no estás encadenado al pasado o a una fantasía del futuro. Miras la cantidad de trastos que has acumulado durante toda tu vida y te pones enfermo. Ojalá pudieras cambiar las cosas, pero es demasiado difícil, te sobrepasa. Estás siendo sincero con tu respuesta emocional. No puedo decir tranquilamente: «No, te equivocas. No te sobrepasa.» Todo cuanto puedo hacer es hablar contigo sobre el peaje emocional que pagas por tanto desorden y desear que descubras que, liberándote de él, te liberarás de la sensación de ansiedad y estrés. Oh, sí, y en el resto del libro te ayudaré a hacerlo gracias a unos pasos simples y fácilmente asimilables.

El desorden nos impide tener paz mental. Una y otra vez, la gente con la que trabajo atribuye a ese desorden gran parte de los conflictos en sus relaciones o la sensación de desesperación de su vida. Veo constantemente a parejas que, en vez de desarrollar y profundizar una relación basada en el respeto mutuo, el amor, las experiencias compartidas y la felicidad, la destrozan discutiendo sobre la desorganización. Muchas de ellas también luchan con la ansiedad y la depresión, todo va muy unido: dónde vives, qué tienes y cómo te sientes. Te sientes abrumado, indefenso y paralizado por el terrible volumen de la desorganización que te rodea. ¿Cómo puedes tener una relación armoniosa o sensación de paz si te sientes tan incómodo en tu propio hogar? En lugar de añadir tranquilidad y equilibrio a tu vida, tus posesiones materiales te provocan estrés e incluso enfermedades físicas. Están haciendo tu vida emocional más difícil de lo necesario.

> Querido Peter:
> Tengo fotos, fotos y más fotos en cajas, esperando a ser ordenadas. Antes de que naciera mi hija, yo era diferente. Tenía mis cosas organizadas, nada desordenadas. Ya no soy la misma persona y no me gusta, me siento abrumada y muy frustrada. Nunca me había sentido tan perdida como ahora...

El desorden nos erosiona espiritualmente. No importa cuáles sean tus creencias espirituales o religiosas, todos intentamos ser mejores. Todo el mundo tiene una idea de cómo quiere vivir y qué pretende conseguir. Todos tenemos un potencial y unos sueños, no sólo acerca de nosotros mismos, sino también sobre nuestros hijos y las personas que amamos. Todo esto se desvanece si tus cosas ocupan demasiado espacio y se convierten en un obstáculo entre tus metas y tú. Las cosas que posees deberían ser herramientas para alcanzar tus sueños y tus objetivos, no obstáculos que impidan tu progreso.

Como he dicho antes, el que te sientas sobrepasado por tus posesiones es un obstáculo emocional que no desaparece chasqueando los dedos. Pero, si conquistas y dominas tu desorganización, espero que no tardes en ver los beneficios emocionales. Esos beneficios son enormes, mucho mayores que el esfuerzo necesario para reconducir tu vida. Una de las razones principales por las que me muestro tan inflexible a la hora de eliminar los trastos, es que veo cómo el espacio que ocupan en la vida de las personas entorpece seriamente su crecimiento y su desarrollo personales. Los aplasta espiritualmente. ¡Lo mires como lo mires, no vale la pena empeñarse en conservar trastos!

EXCUSA N.º 10: «_____»

De acuerdo, no hay una décima excusa, pero una lista de nueve parece incompleta. Además, hay un montón de desórdenes realmente creativos por ahí. Supongo que existen excusas con las que todavía no me he encontrado, así que toma un bolígrafo y escribe la que te apetezca en el espacio reservado más arriba.

Todos aquellos cuya desorganización domina sus vidas tienen una forma de justificarse, ante sí mismos y ante los demás. No es nada raro. Pero, mira a tu alrededor: hay gente que consigue imponer orden en el caos. No son menos perezosos, más ricos ni están menos ocupados que tú. Puedes hacerlo. En parte no te sientes plenamente satisfecho de tu vida; si fuera así, no estarías leyendo este libro. Estoy aquí para decirte que la recompensa por librarte del desorden cumplirá todas tus expectativas. Te sentirás más fuerte, más feliz, más lúcido y más libre. Ya es hora de olvidarse de las excusas, ya es hora de vivir la vida que imaginaste. ¡Puedes hacerlo!

3

IMAGINA LA VIDA QUE QUIERES

Si miras a tu alrededor, puede que veas que tu casa está atestada de «trastos». La respuesta no está únicamente en «ser organizado». Sé que suena extraño viniendo de mí, un experto en organización, pero la forma de enfrentarse al desorden no es empezar con el propio desorden. ¿Confuso? Sigue leyendo.

Uno de los errores más comunes que comete la gente al intentar librarse del desorden y ser organizado, es empezar por «las cosas». Y este error es grave. Remover las cosas y cambiarlas de una habitación a otra, o guardarlas en cajas nuevas, no resuelve el problema. Al principio, recuerda: arreglar el desorden y la acumulación no tiene nada que ver con las cosas en sí. No te concentres en ellas o estás condenado al fracaso de entrada.

Las cosas que posees son una distracción para dar el paso correcto. La clave para ser —y mantenerse— organizado es mirar más allá del desorden e imaginar la vida que podrías estar viviendo. Dicho de otra forma: se trata de la forma en que ves tu vida. Y has de hacerlo antes de mover y clasificar nada, antes de tomar decisiones y negociarlas, antes de las elecciones difíciles y las lágrimas. Te lo he dicho antes y es hora de que te lo tomes en serio. La primera tarea que impongo a mis clientes y el primer reto que quiero proponerte es éste: imagina la vida que quieres.

Imagina la vida que quieres. No se me ocurre otra frase que tenga más impacto en la vida de las personas con las que he trabajado. Lo repetiré de nuevo: imagina la vida que quieres. La vida nunca es perfecta, pero todos tenemos una idea única y particular de la vida que deseamos para nosotros. Cuando la desorganización reina en tu hogar, no sólo bloquea tu espacio vital sino que también bloquea tu visión. A menudo me parece que llega un momento en que la gente deja de percibir el desorden... ¡incluso parece no verlo! Se mueve alrededor de él como si no existiera. El primer paso es ir más allá del desorden, de la acumulación, de la falta de organización, y determinar cómo ves tu lugar en el mundo. Es una pregunta falsamente sencilla y que rara vez nos hacemos. ¿Qué clase de vida quieres? De esta pregunta se derivan muchas otras que tienes que plantearte seriamente. ¿A qué dedicas tiempo en esa vida imaginada? ¿Cómo te sientes en casa? ¿Cómo interactúas con tu familia? ¿Qué haces en tu hogar? ¿Te ves como una persona de éxito y que está por encima de las cosas? ¿Esperas encontrar algún día el equilibrio perfecto entre el trabajo y el hogar, entre el estímulo y la calma?

Son preguntas que la mayoría nunca nos hacemos. Aceptamos lo que tenemos y nos cuesta imaginar que las cosas puedan ser de otra manera. Es mucho más fácil dejar las cosas tal como están que ponerse en movimiento. ¡Pues bueno, hoy es el día en que todo eso va a cambiar! Puede que necesites una seria reflexión para imaginar esa vida que quieres vivir. No evoques una imagen de la vida de los ricos y famosos, tómate tu tiempo para pensar en tu propia vida ideal: una vida mejor, pero que esté a tu alcance. Haz esto de la forma que creas más conveniente: busca un momento tranquilo para escribir tus ideas en un diario, aprovecha tu tiempo en el gimnasio, resérvate una hora para sentarte a solas y pensar o hazlo en la cama antes de dormir. Puede que los detalles tarden en acudir a tu mente, no me extrañaría, pero es la clave del progreso y merece la pena esa inversión de tiempo. Piensa qué es lo que quieres de la vida que tienes.

TU HOGAR IDEAL

Una vez tengas clara la imagen en tu mente, imagina el espacio ideal donde vivir. ¿Qué aspecto quieres que tenga tu casa? ¿A qué quieres que se parezca tu sala de estar? ¿Y tu dormitorio? ¿Y tu relación? ¿Y tu carrera? ¿Y el asiento trasero de tu coche? Fija esas imágenes en tu mente. Haz dibujos o toma notas si eso te ayuda, busca fotos en las revistas que encajen en esa imagen. Camina, piensa, sueña, pondera... haz todo lo que haga falta para que esa visión sea lo más real posible.

Una vez tengas una imagen de lo que te gustaría que fueran tu vida y tu hogar, échale un amplio vistazo a tu casa. No seas metódico... todavía. Ya empezaremos a depurar posesiones en el siguiente capítulo. De momento, sólo quiero que practiques una nueva forma de contemplar tu espacio y tus cosas. El abismo entre lo que tienes y lo que quieres puede ser enorme, y la respuesta emocional, tremenda. Para muchos de mis clientes, este estadio del proceso es trascendental, ya que por primera vez en muchos años parece que se han quitado una venda de los ojos, ven cómo han estado viviendo y lo que poseen bajo una nueva luz. Si al igual que para ellos, tu problema es la acumulación y la desorganización, es muy probable que tu vida actual ni siquiera se acerque a la que de verdad quisieras tener. No te preocupes... ¡todo llegará!

Trabajé con una pareja, Dylan y Jen, que deseaban que el dormitorio principal de su casa en Oakland fuera un santuario, una escapada romántica de los hijos... pero estaba abarrotado de juguetes. Los niños se habían apropiado de la televisión para ver sus vídeos y el sillón estaba casi oculto por un enorme montón de ropa para planchar.

Tengo unas cuantas preguntas que ayudan a las parejas a centrar su atención en lo que les gustaría tener. Sé que, a veces, estas preguntas pueden ser como una hoja de afeitar, pero no tengo tiempo que perder ni tú tampoco porque se trata de conseguir la vida que ansías. Es el momento de plantear una de esas preguntas.

Le dije a Dylan: «Si hoy hubieras conocido a Jen, ¿es éste el dormitorio al que habrías querido traerla?»

Ahora, plantéate la misma pregunta. Contempla tu dormitorio principal y piensa en la relación íntima que compartes con tu pareja. Si resulta que tu dormitorio no es el ideal romántico para los dos, pregúntate el motivo. Me vuelve loco ver dormitorios llenos de ropa sucia, envases de comida vacíos, juguetes de niños, papel de envolver, incluso repuestos de coche. Recuerda las preguntas esenciales: ¿cómo es la vida que quieres? ¿Cuál es tu imagen del dormitorio principal? ¿Cuál es tu idea de un momento romántico? ¿La refleja ese cuarto? Las respuestas están y siempre estarán relacionadas.

Conocí a una mujer de Michigan que me contó que, ahora que su hijo Michael disponía de un piso propio, quería que su casa «volviera a ser suya». Su garaje estaba ocupado por el Porsche de Michael, que ella le tenía prohibido conducir porque no tenía estabilizadores. Los muñecos de Michael no sólo llenaban su propio dormitorio, sino las altas estanterías metálicas del vestíbulo de la casa. Tan amablemente como me fue posible, le dije que su hijo ya estaba en la universidad y que era hora de que se responsabilizase de sus cosas.

Ella estalló en carcajadas, cabeceando. Yo no entendía qué encontraba tan divertido, hasta que me explicó que su hijo no estaba en la universidad, sino que era todo un doctor de cuarenta años... ¡cuarenta! ¡No podía creerlo! Por lo que a mí respecta, aquello era completamente egoísta por parte del hijo y un fallo absoluto en cortar el cordón umbilical por parte de la madre. ¡Eso no es amor, es estupidez! Ambos tenían parte de culpa en aquella situación intolerable. El hijo esquivaba hábilmente su responsabilidad y la madre, al aceptar un incuestionable papel de cuidadora, sacrificaba su calidad de vida. Por horrible que suene, Michael explotaba a su madre. En la idea de la madre acerca de la vida que quería, no existía ningún Porsche en el garaje y, por supuesto, tampoco cientos de muñecos atestando las habitaciones y el vestíbulo del hogar familiar. Michael no tenía pensado sacar sus cosas de la casa, así que le tocaba a su madre pasar a la acción. Tenía que tener claro cómo quería que fuera su casa y trabajarla para ella y para su hijo. Ella lo hizo, tú también puedes.

PREGUNTAS SOBRE TU HOGAR IDEAL

¿Tiene mi casa el aspecto que quiero que tenga?

¿Siento que mi casa es un hogar para mí?

¿Qué siento cuando llamo hogar a este lugar?

¿Qué quiero sentir cuando llegue a mi hogar?

¿Qué sienten los miembros de mi familia cuando llegan a esta casa?

¿Qué quieren sentir cuando lleguen a esta casa?

¿Cómo me siento cuando entro en esta habitación?

¿Qué quiero sentir al entrar en esta habitación?

¿Cuál es la función actual de esta habitación?

¿Cuál es la función que me gustaría que tuviera?

Para que sirva para esa función, ¿qué mobiliario, objetos y espacio libre debería haber en ella?

Como dije en el capítulo anterior, la mayoría queremos ser personas mejores: más felices, de más éxito, más productivas y satisfechas. Pero es difícil funcionar a tope cuando estás estresado, distraído y aplastado por la acumulación. ¿Posees tus cosas o ellas te poseen a ti? ¿Afecta el desorden a tus emociones y a tus relaciones? ¿Afecta a tu capacidad para relacionarte con la gente o de entretenerte? ¿Afecta a tus hijos? ¿Tienen espacio para crecer? ¿Qué ejemplo les estás dando? ¿Te afecta el desorden psicológica y espiritualmente? ¿Afecta a tu salud física? ¿Afecta a tu capacidad para tener éxito en tu carrera? Si estás luchando contra el desorden, es muy posible que la falta de espacio te esté ahogando, que no te deje bastante aire como para respirar y vivir tu vida.

Cambiar es duro

El cambio no es fácil, pero sí increíblemente liberador. El cambio que veo en la gente que da su primer paso con entusiasmo y excitación es que, por primera vez en su vida, crea un hogar real y tiene criterio para decidir el verdadero valor de lo que quiere tener a su alrededor. El factor decisivo ya no es lo que le ha costado esto o aquello, quién se lo dio, cuánto hace que lo tiene, qué emoción va ligada a ello o cualquiera de las otras cien excusas que siempre ponemos. El factor más importante para decidir lo que deberías tener en tu casa está claro: ¿refuerza ese objeto mi ideal de vida y me hace avanzar hacia él o me impide alcanzarlo? Ésa es la única pregunta que deberías hacerte cuando contemples el desorden que inunda tu hogar.

Cada vez que mires una cosa de una habitación y medites sobre si deberías quedártela, imagina la vida que ansías y hazte estas preguntas básicas. ¿Está tu hogar en consonancia con tu ideal de vida? Las cosas que posees, ¿te ayudan a alcanzarlo o te distraen de esa imagen? ¿Es tu dormitorio un lugar donde puedes dormir con tranquilidad? ¿Es tu vestíbulo acogedor cuando llegas a casa tras un día agotador? ¿Puede tu familia reunirse para comer, divertirse o relajarse sin que interfieran montones de trastos? Todos y cada uno de los artículos de tu hogar deberían acercarte a tu ideal de vida y tener una función real y concreta, una que puedas explicar sin inventarte excusas. Recuerda «no tener nada en casa que no sepas para qué te sirve o no consideres hermoso». ¿Cumplen tus cosas estos criterios?

La liberación que llega con respuestas sinceras a estas preguntas es asombrosa. Quizá, sin darte cuenta, lo que estás haciendo es quitarles a las cosas su poder y recuperándolo tú. Tú posees esas cosas... ¡ellas no te poseen! Además, ahora tienes un plan concreto para trabajar. No te equivoques, no es lo más fácil del mundo. Se necesita concentración y mucha energía, pero lo he visto miles de veces. Tienes que confiar en mí cuando te aseguro que será una experiencia que te cambiará la vida.

¿Dónde está tu hogar?

El primer paso para imaginar la vida que deseas y, concretamente, qué aspecto quieres que tenga, es quizá la parte más importante de todo el proceso de organización. Aleja tu atención de la acumulación en sí y dirígela hacia algo mucho más fundamental: tus sueños y tus aspiraciones para la nueva vida que anhelas. Una vez hayas dado ese primer paso y tengas una visión clara de cómo quieres que sean tu vida y tu hogar, puedes volver la atención a tus trastos. Entonces, tendrás un criterio con el que decidir qué quieres conservar y qué puedes tirar.

No hace mucho, trabajé con una familia del Medio Oeste. Tenían una casa preciosa en las afueras de Chicago, no particularmente atestada, pero con el garaje abarrotado de muebles, cajas, antigüedades y material deportivo. En la casa en sí, con dos niños, casi no había ningún signo de vida familiar. No se veían fotos por ninguna parte, y sólo unos pocos artículos personales aquí y allá, de forma muy genérica y anodina. La vida familiar estaba literalmente empaquetada y almacenada en el garaje. Como la madre había perdido a sus padres siendo muy joven y, más recientemente, a su hermano, ansiaba seguridad. Su empaquetado hogar lo reflejaba. Sólo tenía una pregunta que hacerle a la madre: ¿dónde está tu hogar? Mientras pensaba la respuesta, me miró confusa, luego perpleja y, muy agitada, respondió: «No lo sé.» ¡La familia vivía en la casa desde hacía más de nueve años y la madre no sabía dónde estaba su hogar! Era porque se encontraba «a salvo», bajo llave, almacenado en el garaje.

Visiones diferentes

Es muy posible que no seas el único que vive en tu hogar y que el desorden afecte a más gente aparte de ti; todo se complica cuando añades otras personas a la ecuación. Quizá tú tengas una visión meridianamente clara de tu vida y de lo que necesitas para vivir, pero, ¿y tu compañero de piso, tu pareja, tu esposa o tus hijos? Nuestra vida se entrecruza con la de la gente que amamos y con la que vivimos, pero nuestros ideales de vida nunca encajan a la perfección. Es básico para cualquiera que comparta su hogar tener la oportunidad de definir esa visión y hablar abiertamente sobre la vida que desea y las cosas que quiere que le rodeen. Habla con quienes viven contigo. ¿Cuál es su idea del hogar ideal? ¿Cómo se imaginan que se podría aprovechar mejor un espacio? ¿Cuál es la intersección de vuestras visiones y vuestras vidas? ¿Cómo puedes hacer que funcione para todo el mundo? Como padre, ¿vas a imponer y definir por completo tu visión o vas a concederles voz y voto a los niños? Puede que te sorprenda lo que este proceso va a suponer para tu familia y para ti; tal vez te obligue a revaluar tus sentimientos acerca de lo que posees y lo que consideras importante. Puedes esperar cierto grado de sorpresa, confusión, incluso conflicto durante el mismo. Me he encontrado frecuentemente con que, por más que la gente comparta un espacio vital común, la idea o la imagen que cada cual tiene de un espacio concreto puede variar enormemente.

La primera vez que empecé a trabajar con Mark y Julie, su hogar estaba invadido por los trastos. La mayoría se concentraban en su cuarto de estar: libros, videojuegos, DVDs, una tonelada de trofeos de bolos de Mark y material deportivo, la mesa para manualidades de Julie y un ordenador para que sus dos hijos hicieran los deberes escolares. Cuando nos sentamos y comenzamos a hablar de sus respectivas visiones acerca de ese espacio, se sorprendieron mutuamente. Mark veía el salón como un antro temático deportivo en el que disfrutar de las retransmisiones de sus partidos favoritos y recordar sus pasados éxitos atléticos. Julie lo veía como un lugar de reunión familiar, donde los chicos pudieran hacer sus deberes y dispusieran de espacio para exhibir sus logros académicos. Dado lo alejados que estaban sus puntos de vista, no me sorprendió que

Julie estuviera constantemente molesta por la acumulación de polvo en los trofeos de Mark, ni que éste estuviera constantemente fastidiando a los niños para que se llevaran sus deberes y sus proyectos escolares a su habitación. Eran visiones diferentes e ideas completamente diferentes sobre a quién pertenecía un espacio y cómo utilizarlo.

La situación era un poco diferente en el garaje de Larry y Jason. Larry consideraba que el garaje era un espacio para almacenar las cosas de su afición principal: la compra de mobiliario y curiosidades en los mercadillos particulares del barrio para su reventa en mercadillos más grandes; Jason, en cambio, que era un jardinero apasionado y el típico manitas, quería mucho espacio para desarrollar ambas aficiones. Larry tenía atestado el garaje con más de cien contenedores de plástico grandes llenos de toda clase de objetos y muebles; Jason había cubierto el suelo, allí donde habían estado aparcados los coches familiares, de herramientas, latas de pintura y material de fontanería y para proyectos de renovación de la casa. No era sorprendente que el garaje hubiera sido un motivo de discusión durante tanto tiempo. Por fin habían decidido que la mitad del garaje se dedicara al coche nuevo y la otra mitad a sus respectivos proyectos: crearon zonas para cada afición y sólo se quedaron con aquello que les cabía en su espacio. Larry vendió el resto en lo que llamó «el número uno de los mercadillos particulares» y, una vez vendido, pudo guardar en el garaje su coche nuevo, una de sus posesiones más caras. Hasta que Larry y Jason no coordinaron sus visiones del garaje, no fueron capaces de acabar con el desorden y decidir, juntos, lo que realmente correspondía a uno y lo que correspondía al otro.

Así son las cosas. Nadie lee la mente de los demás. Cuando la idea que cada cual tiene acerca de un espacio compartido se expone abiertamente, todo el mundo tiene oportunidad de plantear su punto de vista. De esa forma, pueden armonizarse los criterios para decidir qué conservar y de qué desprenderse. ¡No es nada del otro mundo! Si piensas que encargarse del desorden propio es emocionante, verás cuando se sumen más personas a la ecuación... ¡y es probable que te lleves sorpresas reveladoras!

Espero que estés impaciente por iniciar este proceso y por las posibilidades que os plantea a tu familia y a ti. Lo he intentado cientos de veces, en muchas situaciones diferentes, y puedo dar fe de las transformaciones realizadas. Lo que intento hacer es ayudarte a redefinir tu relación con tus cosas. El mero hecho de poseer algo no da la felicidad, y si estas posesiones son «excesivas» te apartan de lo que deseas y amas. Tus «cosas» pueden convertirse fácilmente en un infierno que te aprisiona en una vida desgraciada e insatisfactoria en lugar de ayudarte a llevar la vida que realmente quieres. Lo he comprobado una y otra vez: si despejas tu espacio, abres tu vida a posibilidades infinitas.

SEGUNDA PARTE

PONIENDO COTO AL DESORDEN

PASO 1

ARRANQUE RÁPIDO: AFRONTANDO LA SUPERFICIE DESORDENADA

Espero que, después de leer la primera parte de este libro, hayas empezado a cambiar tu forma de ver el desorden. Quizás has empezado incluso a imaginarte la vida que deseas y ya piensas en eliminar los obstáculos físicos y mentales que se interponen en tu camino. Eso es algo que a mí particularmente me apasiona, y espero que ese apasionamiento y ese entusiasmo sean contagiosos. Pero ¡basta de teoría! Es hora de poner manos a la obra y acabar con el desorden. Vamos a repasar tu hogar habitación por habitación. En cada una de ellas tomaremos decisiones difíciles sobre aquello con lo que debemos quedarnos.

Para calentar motores, me gustaría realizar una criba rápida de baja intensidad, también conocida como arranque rápido.

RÁPIDO Y SUPERFICIAL

Con mucha frecuencia me preguntan si es difícil conseguir que la gente se desprenda de sus cosas, una pregunta que me es imposible responder por varias razones. Primero, no creo que pueda conseguir que la gente haga lo que no quiere hacer. Si a ti o a mí nos obligan a hacer algo, es poco probable que nos sintamos partícipes de esa decisión, así que, ¿de qué sirve? No obligo a la gente, no busco que se someta a mis decisiones. Quiero que los cambios sean permanentes y que se emprendan voluntariamente; si no es así, un mes después tu hogar tendrá exactamente el mismo aspecto que tenía cuando comenzamos. Segundo, la actitud afectará mucho a tu forma de proceder, a cómo te sientes y, en resumen, al resultado final. Nunca he considerado que lo que hago sea ayudar a la gente «a librarse de sus trastos», aunque sí ha habido casos en los que el 90% de mi labor consistió en eliminar cosas. No me malinterpretes, me encanta ver cómo desaparece la acumulación y me alegro con cada centímetro cuadrado de espacio liberado. Pero lo que estoy haciendo es ayudar a la gente a darse cuenta de lo que necesita, ama, respeta y utiliza de verdad en casa. Una vez identificados esos objetos, los demás no caben. Así que hay dos formas de encarar el proceso. Si te lo tomas como una simple eliminación de cosas, será una empresa dura. Si comprendes que del desorden y la confusión lograrás desenterrar las cosas más importantes de tu vida, entonces lo que estamos haciendo es lo más excitante y positivo que hayas hecho por ti en mucho, mucho tiempo.

Ten esto en mente y no te preocupes por las decisiones difíciles que deberás tomar. Que comprendas las razones por las que estás escarbando entre los tapetes sucios y manchados que tu abuela tejió —y que conservas porque tienes miedo de olvidarla—, no significa que estés preparado para tirarlos al cubo de la basura. Necesitas imaginar cuál es la mejor forma de conservar ese recuerdo en función del espacio de que dispones. ¡Si estás listo para desprenderte de ellos, pase lo que pase, hazlo! Pero, de momento, plantéatelo así: la mayoría de la gente tiene dos tipos de trastos.

El desorden perezoso

El desorden perezoso es el que se acumula con el tiempo por pura negligencia. No es un desorden que deba preocuparte demasiado, así que ignóralo: papeles sin archivar, correo comercial sin abrir, revistas, regalos indeseados o esa gorra de propaganda que te dieron en el supermercado y que te llevaste a casa aunque nunca te la pondrás. Sé por experiencia que el desorden perezoso es poco más que basura cuyas principales funciones son acumularse en todas las superficies planas de tu hogar, acumular polvo y dar a tu espacio un aspecto desordenado y desastroso.

Tesoros guardados

Los tesoros guardados son cosas como esos tapetes de los que hemos hablado o el primer par de zapatitos de tu hijo. Es un desorden sentimental al que te sientes ligado y es más difícil prescindir de él.

En nuestro arranque rápido, no vamos a tomar decisiones difíciles como las que atañen a los tesoros guardados. El primer paso es encargarse del desorden perezoso; después ya nos meteremos con tus cosas de una forma lógica y metódica. Vas a aprender a establecer el equilibrio entre las cosas que quieres poseer y el espacio de que dispones para ellas. Cuando encuentres ese equilibrio, aprenderás a mantenerlo. Por ahora, limitémonos a una criba rápida y superficial, librándonos del material relativamente fácil de eliminar.

¡HAZLO RÁPIDO!

Cuando la conversación deriva hacia el orden y la organización, me preguntan frecuentemente por un sistema o método que ayude a la gente a mantener el orden. Existen unos cuantos pasos sencillos que aseguran el éxito. Éste es uno de ellos: no salgas a comprar nada. Sé que suena muy antinorteamericano o poco realista, pero ahora ya sabes que los sistemas organizativos no son la manera adecuada de empezar y que el volumen de trastos que entra en tu casa contribuye al problema. No comprar detendrá temporalmente la oleada de cosas nuevas que entran en tu hogar mientras te encargas de las que ya tienes.

Vamos a realizar una criba rápida de tanto desorden perezoso como nos sea posible. Lo principal es hacerlo rápidamente. No te preocupes si no te sientes preparada para tirar el vestido de baile talla 36 de tu graduación (ya llegaremos a eso, confía en mí) o el molde de latón del primer par de zapatos que llevó tu hijo (maldigo al vendedor que te lo ofreció). No tomes todavía decisiones emocionales difíciles, lo que prima es la rapidez. Eso no sólo significa que lo hagas «lo más rápidamente que puedas», sino también que sigas estos sencillos pasos. ¡Que esto se convierta en tu nuevo mantra! El primer paso es:

Decide una fecha.

Después, concéntrate en los tres tipos de acumulación de tu espacio vital.

Todo lo que no has utilizado desde hace un año: si no lo has usado en todo un año, es hora de tirarlo.

Los trastos de los demás: si no te pertenecen, líbrate de ellos.

Basura: las cosas inservibles y la basura tienen que desaparecer.

Decide una fecha

Decidir una fecha que convenga a todos los involucrados es muy importante. Este proceso es inclusivo y, de esa forma, es mucho más probable que todo el que forme parte de él se sienta motivado por un resultado positivo y un cambio permanente. Cuando marques el arranque rápido en tu calendario, haz un voto de abstinencia: no compres nada hasta que hayas completado la criba. Obviamente, no estoy hablando de lo imprescindible para sobrevivir, pero no vayas a galerías comerciales o a grandes almacenes predispuesto a comprar. ¡Nada de terapia de compras ni compras espontáneas: nada de rebajas, nada de oportunidades, nada de ofertas especiales! Ya te recompensarás (preferiblemente con algo menos «tangible» y más «vivencial», como una cena, una fiesta o una escapada romántica) cuando tu hogar esté limpio, ordenado y organizado. La limpieza es un asunto familiar, así que programa el arranque rápido para una fecha y un momento en los que pueda participar todo el mundo e impón la asistencia obligatoria a toda la familia. Todos se beneficiarán, así que todos deben ayudar.

Puedes planear tu arranque rápido para un sábado o un domingo (o cualquier otro día libre), pero si esa idea te da miedo, haz un poco cada día. Yo prefiero señalar un día concreto para ponerse manos a la obra... pero es tu elección.

Todo lo que no has utilizado desde hace un año

Recuerda que el objetivo es vaciar tu hogar de trastos, no trasladarlos de habitación. Cuando grabábamos la serie *Clean Sweep*, no era nada raro sacar una tonelada de basura de cada uno de los hogares en los que trabajábamos. ¡Una tonelada! Te lo prometo, te sorprenderá la enorme cantidad de artículos que ni utilizas ni necesitas en tu hogar. No pierdas tiempo inventando razones o arguyendo excusas para conservar esas cosas. Cada vez que te topes con algo, hazte estas preguntas:

¿Lo utilizo?
¿Cuándo lo utilicé por última vez?
¿Volveré a usarlo?
¿Vale el espacio que ocupa en casa?

El tiempo corre muy deprisa. Compramos cosas creyendo que las usaremos mucho y muy a menudo las sacamos de la caja, las probamos y después dejamos que acumulen polvo. En esta categoría, los utensilios de cocina ocupan uno de los primeros puestos de mi lista. Máquinas de hacer pan, sandwicheras, moldes para el horno y un millón de adminículos que prometen ahorrar tiempo (¡y que ocupan mucho espacio!), pero que pocas veces se usan en las cocinas. Sé por experiencia que casi la mitad de todo lo que hay en una cocina no ha visto la luz del día en los últimos doce meses.

Afronta los hechos: si hace un año que no utilizas un determinado artículo, es muy poco probable que lo necesites de verdad o que vayas a utilizarlo lo bastante como para que esté justificado tenerlo en casa. ¡Decídete y líbrate de él!

Recuerdo la historia de Rachel, una de mis clientas. Fue de compras con una amiga que se dio cuenta de que ella llevaba una ropa interior un tanto andrajosa. Su amiga sugirió que fueran a una tienda y compraran algo más bonito. Pero resultaba que Rachel no tenía espacio en el armario para otro sujetador; tenía el cajón de ropa interior lleno de sujetadores La Perla que no le sentaban bien desde hacía dos años. No se decidía a tirarlos porque eran preciosos... ¡y porque cada uno le había costado más de cien dólares! Así que, desde hacía dos años, llevaba el único sujetador gris que todavía le cabía. Si te sientes tentado a quedarte con algo sólo porque es caro, recuerda la diferencia entre valor y coste. El valor de algo es lo que pagas por ello. Si pagas un montón de dinero por algo, tirarlo es admitir que has malgastado ese dinero. Ahora piensa en el coste. ¿Qué te cuesta quedártelo? ¿Cuánto espacio ocupa? ¿Cuánta energía te roba? ¿No tienes en cuenta la paz mental que conseguirás al tener un hogar limpio y lleno de cosas que realmente necesitas? En su momento tomaste la decisión de comprar eso tan caro que nunca usas; ahora, conservándolo, además de dinero estás perdiendo espacio.

Los trastos de los demás

Por favor, comprende algo muy básico acerca de la acumulación y el desorden: en el momento en que ocupa lo que debería ser un espacio libre, empiezas a privarte de ese espacio que necesitas para vivir como deberías. Ya es bastante malo que la acumulación sea tuya, pero es completamente demencial que esa acumulación sea de otro. ¿Eres un guardamuebles profesional? No creo. En tu casa no debería haber nada que no te pertenezca. Eso es absurdo. Si es algo que te prestaron, devuélvelo y, si no vas a devolverlo porque te lo prestaron hace mucho y te da vergüenza, admítelo, líbrate de ello y pide perdón. Si has terminado una relación o te has divorciado y estás almacenando las cosas de tu ex, éste es el momento de librarte de ellas. Si tus hijos han terminado el colegio y fundado su propio hogar, es hora de que se responsabilicen de sus cosas. Si no es lo bastante importante como para que su propietario quiera tenerlo, ¿por qué te molestas tú en conservarlo por él? Lo mismo puede decirse de las herencias familiares que te empeñas en conservar, pero que ni usas ni te gustan. Es tu vida, es tu hogar. Tú controlas tu espacio. Recupéralo.

Basura

El cubo de basura es tu amigo... y un amigo muy hambriento. Aliméntalo, mantenlo lleno y feliz. Enorgullécete de lo mucho que tiras en él, diviértete, compite con los miembros de tu familia para ver quién tira más cosas, concede un premio al mejor, otorga un premio por el artículo de mayor tamaño que vaya a parar al cubo... Recuerda que estás intentando ganar espacio: lo más importante se conserva, pero cuanto más grande sea más espacio ocupa. Realmente, no es tan complicado.

Recuerda la meta: sólo debes quedarte con las cosas que quepan en el espacio de que dispones. ¿Caben todos esos libros en las estanterías? ¿Caben tantos papeles en las carpetas? ¿Caben tantos platos y vasos en el escurridor? ¿Utilizas los armarios para guardar cosas que nunca usas o para aquello que utilizas habitualmente? ¿Cuál es tu relación emocional con ese montón de trastos? ¿Son tus más preciadas posesiones? ¿Necesitas, cuidas y respetas todas y cada una de las cosas de ese montón? No pierdas mucho tiempo pensando. Sólo haz tus observaciones y reconócelas ante ti mismo y tu familia.

Querido Peter:

Hoy nuestro basurero se ha quejado. Estaba enfadado por todo el trabajo que le estamos dando, y creo que tiene derecho a quejarse porque he tirado la mitad de mis pertenencias. Cajas de juguetes viejos, platos rajados, ropa antigua y una espantosa silla que fue el regalo de boda de mi padre.

Ésta es tu oportunidad para librarte de esas pilas de revistas, correo comercial, cajas viejas, periódicos, ropa vieja o rota, libros que nunca vas a leer, catálogos atrasados, cosas estropeadas y los años de basura que has acumulado sin tirarla nunca.

¿Preparado? Ahí vamos.

ÚLTIMOS PREPARATIVOS

Fija una fecha para tu arranque rápido

Es importante que te fijes una fecha, de acuerdo con tu familia o con las personas que conviven contigo. Puedes hacer una criba de fin de semana o un poco cada día. Para una criba de fin de semana, asegúrate de que todos en casa se pondrán manos a la obra. Decide una hora para empezar y una para terminar. Que nadie responda al teléfono ni quede con amigos y programa dos descansos: uno para comer y otro para merendar (¡necesitaréis energía!). Aparte de esos, no se permite ninguno más. Para el plan diario, márcate un tiempo de treinta minutos. ¡Pon en marcha el temporizador de la cocina, por ejemplo, y adelante!

Reúne el material necesario

Asegúrate de tener bolsas de basura, ya que tu objetivo principal es llenarlas. Para una criba de fin de semana, prepara bocadillos el día anterior, ten cosas para picar y piensa en pedir una pizza para cenar. Esto es importante: ¡nada de perder tiempo cocinando! Si no tienes una lona, compra unas cuantas baratas para colocar los trastos acumulados. Dependiendo de la magnitud de la tarea, plantéate alquilar un contenedor: lo llevarán hasta la puerta de tu casa y lo recogerán, una vez lleno, al final del arranque rápido. O pide a los vecinos si les sobra espacio en sus cubos de basura para dejar en ellos todo lo que estás descartando.

Define tu zona de trabajo

Plantéate metas razonables. Para una criba de fin de semana, escoge la habitación más desastrosa (el garaje o el sótano, por ejemplo) o bien adjudica una zona a cada miembro de la familia, como un armario o el cuarto de cada cual. Para una criba diaria, elige zonas pequeñas, manejables. Tu plan podría consistir en: «Lunes: estantería del salón. Martes: los montones de papeles de la mesa del comedor, etc.» Muévete sistemáticamente por todo tu hogar.

Escoge un destino definitivo

Sólo hay tres opciones para situar cada objeto con el que te encuentres en esta criba inicial.

1. **Dentro.** Pertenecen a esta categoría las cosas que se quedarán en tu casa, bien porque las utilizas constantemente o porque son importantes para la vida que quieres vivir. O (seamos sinceros), porque en realidad no las usas mucho pero ahora no puedes prescindir de ellas.
2. **Basura.** Recuerda que cada bolsa que llenes es espacio libre que ganas para vivir y disfrutar. Todo lo que decidas tirar es una victoria. Crea una competición, a ver quién es capaz de llenar más bolsas de basura.

3. **Fuera.** ¿Tienes problemas para librarte de cosas porque crees que son «valiosas»? Bueno, ésta es tu oportunidad para sacar algo de dinero o dejar que otro las utilice. Las cosas que acaban «fuera de casa» son las que vas a vender —en un mercadillo particular en tu jardín o incluso por Internet— o vas a donar a una organización benéfica o una ONG, por ejemplo. También están incluidas las cosa que devolverás a sus legítimos propietarios o regalarás a alguien que les encuentre una utilidad real. Una vez colocado en este montón, el artículo nunca volverá a entrar en tu hogar.

> Querido Peter:
>
> Durante el último año, mi madre y yo hemos ganado seiscientos dólares en dos mercadillos que organizamos en el jardín de cada una mientras conseguíamos hacer que nuestras casas fueran mejores y más habitables. Mi madre es anciana y tiene unos ingresos modestos. Con lo recaudado en la primera venta pudimos comprarle un horno nuevo, dado que el que tenía era viejo y estaba asqueroso. El horno es sencillo, pero realza la cocina y ha subido el valor de su casa. Y todo eso por librarnos de cosas que ya no necesitaba.

Dónde decidas vender tus cosas determinará en gran medida la cantidad de esfuerzo invertido. Puede ser peligroso, porque he visto artículos «fuera de casa» destinados a un mercadillo personal que seis meses después siguen amontonados en el garaje. Si no tienes el tiempo o la disciplina necesarios para vender tus cosas, piensa seriamente en donarlas y conseguir una reducción de impuestos. Es muy probable que todo lo que te haya costado mucho dinero puedas venderlo por Internet. Ahora existen intermediarios de ventas en la red que se encargarán de eso por ti. Se merecen la comisión que cobran por encargarse de todos los trámites de la venta.

Para realizar una donación, entérate antes de si enviarán una furgoneta para recoger los artículos más voluminosos o cuándo lo harán. Si eres consciente de que los objetos de otra persona forman parte de tu criba, por lo menos avísala. Dile que vas a limpiar tu garaje el sábado y que puede recoger sus cosas hasta las cinco de la tarde. Todo lo que no recoja irá a parar a (añade el nombre de tu ONG favorita). Basta de ser el «niño bueno».

Planea dónde vas a colocar tus pertenencias. Si tienes espacio suficiente, extiende tres lonas sobre el césped con las etiquetas «guardar», «tirar» o «fuera de casa». Si no tienes espacio o hace demasiado frío, crea espacios concretos para cada montón de artículos extendiendo tres mantas viejas dentro de tu casa. ¿No tienes sitio siquiera para extender tres mantas o tres sábanas viejas? Entonces, crea las zonas «guardar» y «fuera de casa» en medio de la habitación donde estés trabajando y guarda en cajas todo lo que puedas. En cuanto tengas lo bastante para llenar una bolsa de basura, sácala fuera de inmediato.

TIENES UN PLAN, ¡PONLO EN PRÁCTICA!

Reglas de juego

Comienza puntual. Tienes un montón de trabajo por delante. Tu compromiso con este proyecto es tu primer paso para crear la vida que quieres. ¡No retrases lo inevitable un segundo más!

No discutas. Haz que toda la familia trabaje unida en una misma zona para que puedas echar una mano allí donde haga falta. Escucha con respeto cuando te hablen de conservar o tirar algo. Recuerda: estamos guardando las decisiones difíciles para más tarde. Ahora no es momento de discutir sobre si esto o lo otro ocupa demasiado espacio. Sois un equipo. Queréis que el día termine con la eliminación de todos los trastos superficiales y de tanta basura como sea posible. Haz todo lo necesario para conseguir ese objetivo.

No pierdas el tiempo. Ahora no es momento de viajar por la senda de los recuerdos. No te detengas hojeando tus anuarios del instituto, no leas cartas antiguas ni repases fotos. Toca cada artículo una sola vez, toma una decisión y actúa. Échale un vistazo lo bastante largo como para decidir a qué montón corresponde. Éste es el motivo de que yo llame a este estadio «apunta y dispara». No te detengas a descansar ni para responder al teléfono. Esto es el trabajo de todo un día. Sé tu propio jefe, duro y concentrado.

Haz montones. Saca las cosas de la habitación en la que trabajas y déjalas en uno de los tres montones. A medida que lo hagas, evalúa tu progreso. Mira el volumen de los montones. ¿Hay algo en el montón de la «basura»? Nada sería tan desalentador como pasar todo el día limpiando una habitación para terminar exactamente con el mismo desorden y la misma acumulación que tenías antes de empezar. El montón «basura» tiene hambre, mucha hambre. Aliméntalo. Haz que crezca. Cuanto mayor sea, menos trabajo tendrás después.

No pares hasta que termines. Lo último que quieres es terminar el día con un desorden mayor que cuando empezaste, así que termina el trabajo. Cierra las bolsas de basura y llévalas a los contenedores. Devuelve todos aquellos objetos dejados en el montón «guardar» a su lugar. Haz lo posible para que simplemente quepan, no te molestes en buscarles otro lugar mejor o en ordenarlos. Ya llegaremos a ese punto. Lleva el montón «fuera de casa» a una zona específica o dónalo a beneficencia o a tu ONG preferida. Prepáralo para que lo recojan o métele en el coche para llevártelo a la mañana siguiente. ¡Es imperativo sacar esos objetos de casa lo más rápidamente posible!

Evalúa y felicítate. A medida que avance la criba rápida, harás descubrimientos. Puede que te encuentres ligado sentimentalmente a cosas que sabes que no deberías conservar o puede que estallen discusiones si un miembro de la familia quiere conservar cosas que otro pretende tirar. Cuando termines la criba, tómate tiempo para discutir sobre esos objetos. Hablad de ellos. ¿Uno de vosotros quiere venderlos? ¿Otro se siente más inclinado a quedárselos y salvarlos? ¿Qué argumentos lógicos, sinceros y sin perder los nervios puedes aportar a la defensa de que algo ocupe más espacio en tu casa del que realmente merece? ¿Contribuirá eso al estilo de vida que deseas llevar? ¿No? Entonces, tienes que encontrar una formar de librarte de ello.

ORGANIZANDO UN MERCADILLO PERSONAL

Fija una fecha. Hazlo con mucha antelación. No elijas un fin de semana que coincida con alguna fiesta oficial. Reza por que haga buen tiempo.

Decide lo que vas a vender. Además de las cosas que has reunido en tu criba inicial, justo antes de montar el mercadillo, reparte un par de cajas a tu familia para que las llenen de otros objetos que puedas o quieras vender.

Selecciona los artículos a la venta. Reúne los artículos similares, así ahorrarás tiempo cuando los expongas. Almacénalo todo en el garaje.

Avisa a tus vecinos. Procura que tus vecinos se enteren de la venta, y anímalos a que organicen sus propios mercadillos. Cuantos más vendedores haya, más personas se verán atraídas por la venta.

Díselo a todo el mundo. Los mercadillos particulares se nutren de los anuncios. Coloca grandes carteles de color en las calles principales. Haz todos los carteles del mismo color, anotando claramente tu dirección, el día y las indicaciones necesarias para llegar a tu casa. Usa el humor para atraer a la gente. Anúncialo en los diarios locales, en los supermercados y en otros lugares que tengan tableros de información comunitarios. Intenta poner en la red el listado de objetos o publícalo en los periódicos gratuitos de tu comunidad. Envía *e-mails* a tus amigos y familia, y pídeles que hagan lo mismo.

Indica el precio con claridad. Pon precio a todo en etiquetas con rotuladores de color vivo y pégalas con cinta adhesiva. Reúne los objetos similares. Utiliza mesas para que los artículos se vean bien. Pide prestadas perchas para la ropa. Haz un boceto de cómo has distribuido los artículos para que la gente los encuentre fácilmente.

Pide ayuda. Asigna a tus ayudantes tareas específicas, como son orientar a los compradores, responder preguntas, vender, cobrar y encargarse de mantener un ambiente alegre.

Prepárate todo lo posible. Ten un cable prolongador a mano para que los compradores puedan probar los aparatos eléctricos. Ten a mano bolsas o cajas para que los compradores puedan llevarse sus compras.

Duerme un poco. La noche antes de la venta pon un cartel frente a tu casa que diga PROHIBIDOS LOS MADRUGADORES; de lo contrario, tendrás gente llamando a la puerta de tu casa antes de que salga el sol.

Ten cambio preparado. Ten un montón de monedas a mano. Utiliza una bandeja para monedas y así tendrás el dinero organizado y en un solo lugar.

Regatea. La idea de un mercadillo particular es librarse de todo lo que está a la venta. Regatea como un loco, ofrece artículos de regalo por unos cuantos centavos más: cinco libros por el precio de tres, cuatro camisetas por el precio de dos... en fin, ya captas la idea. Una hora antes de cerrar el chiringuito, rebaja los precios para vender cuanto más, mejor.

Líbrate de todo. Habla con una organización benéfica o una ONG para que se lleve todo lo que no se venda. ¡No te quedes con nada de aquello de lo que quieres librarte!

Y sobre todo. no pierdas el humor y haz que todos disfruten del día. Anima a la gente a regatear y conviértelo en un juego. Venderás más cosas y te divertirás más.

Bien, ahora vuelta a empezar. ¿Te has fijado que en los envases de champú siempre pone «mójate el pelo, lávalo, aclaralo y repite el proceso»? Si siguieras ese bucle de instrucciones estarías lavándote el pelo hasta el fin de los tiempos. No hagas lo mismo con el arranque rápido pero, eso sí, repasa tu casa metódicamente, librándote de todos los trastos innecesarios hasta que hayas pasado por todas las habitaciones. Sólo entonces estarás preparado para la parte más difícil: librarte de esas cosas que crees importantes o valiosas.

Esta criba rápida sólo es un primer paso, pero te dará ánimos y una idea de lo que puedes conseguir. Puede que tu casa esté más vacía pero, ¿está ordenada? Estoy casi seguro de que la respuesta es no. Has hecho un buen trabajo eliminando la primera capa de acumulación, así que ahora ya estás preparado para encargarte de lo realmente importante. Ahora estás en disposición para liberar tu espacio y ordenar tu mente. ¡Bienvenido a bordo!

Querido Peter:
Ya me he librado de tres cuartas partes de mi material de manualidades; me he desprendido de la ropa pasada de moda o que nos quedaba grande o pequeña, a mi familia y a mí; he reunido todos los artículos de camping, sin contar la tienda, en dos contenedores; he tirado todos los juguetes viejos de mis dos hijos; me he librado de cosas que coleccionaba por el mero vicio de coleccionar y que nunca había utilizado realmente; he tirado unas trescientas revistas y sólo me he quedado unas ciento cincuenta; he reciclado años y años de recibos; he tirado juegos a los que les faltaban piezas y panfletos que anunciaban acontecimientos celebrados hace

mucho tiempo; he metido en cajas todos los informes que realicé cuando era consultora de PartyLite y vendido la mayoría del material que ya no necesitaba. Cada vez que me encontraba con algo que deseaba quedarme, pensaba en tus advertencias y tus consejos para cambiar caos por paz, y me preguntaba: ¿cuándo fue la última vez que utilicé esto? ¿Lo necesito realmente? ¿Puedo comprar otro más barato y más eficaz? ¿Es utilizable? ¿Necesita reparaciones?

Peter, he donado unas ochenta cajas de objetos perfectamente vendibles a una organización benéfica local y ya tengo otro cargamento de treinta cajas más que seguirá el mismo camino.

PASO 2

¡TÍRALO!

Ya has terminado el arranque rápido. Ha sido un trabajo duro, pero sólo era el principio. No me habría tomado la molestia de escribir este libro si bastara con decirte: «Venga, muévete y líbrate de toda tu basura.» Un poco de limpieza no va a cambiarte la vida, no va a cambiar radicalmente tus relaciones, no va a convertir tu casa en el paraíso ideal que mereces. Pero admítelo, ¡sienta estupendamente! Piensa que, aunque todavía te queda mucho camino por recorrer, tienes un poco más de espacio para moverte. Menos es más. Y ahora vamos a hacer incluso menos. Ha llegado la hora de reinventar tu hogar.

Piénsalo. Cada mañana nos despertamos en el mismo dormitorio (bueno, al menos la mayoría), nos duchamos y nos vestimos en el mismo cuarto de baño, desayunamos en la misma cocina... Pero, ¿cómo y cuándo decidiste cómo organizar todos los componentes de tu vida? ¿Cuándo decidiste en qué cajón guardar los calcetines, dónde los platos y los vasos, dónde los adornos navideños? Déjame adivinarlo: el mismo día que te instalaste en tu casa. En medio del neblinoso agotamiento que siempre acompaña a una mudanza, tuviste que colocar tu equipo deportivo en algún lugar, así que lo dejaste en el estante superior del armario que tienes debajo de las escaleras.

En la cocina no tenías bastante espacio para todas las ollas y las sartenes, así que las dejaste en el cuartito de la lavadora, donde han acumulado una capa de polvo que nunca te has molestado en quitarles. Quizás un día llegaste a casa con una tonelada de bombillas, compradas en una oferta especial, y desde entonces el armario de la ropa blanca se ha transformado en un almacén eléctrico. Fue una decisión espontánea, pero funcionó.

Sí, bueno, «funcionó» en su momento, pero ya no. Es hora de que lo que tienes te sirva para vivir, no de que vivas para tus posesiones. ¿Quieres un dormitorio donde sentirte relajado y cómodo? ¿Quieres cenar en un comedor que pueda ser, al mismo tiempo, romántico o vivaz con la dinámica familiar? ¿Quieres trabajar en un despacho que te haga sentir eficiente y que controlas la situación? Vamos a buscar tu idea de la vida y a convertirla en realidad.

COMUNICACIÓN

La mejor forma de manejar los conflictos con los que te encuentras cuando intentas llevar a cabo un plan es ser muy cuidadoso a la hora de comunicarse con los demás. Obviamente, poder hablar sincera, abierta y respetuosamente con tu pareja o tu familia es una habilidad básica que deberías tener, independientemente de la forma de vida que hayas elegido. Pero vale la pena mencionar aquí que hay que tener muy presentes a los demás durante este proceso, porque tirar toda una vida de posesiones atesoradas puede ser un ejercicio muy emotivo para la mayoría. Es un trabajo duro y vas a tener discusiones difíciles, así que será mejor que trates a los demás con delicadeza.

Establece una premisa básica

La mejor forma de afrontar una discusión difícil es dejar clara tu posición desde el principio. Por ejemplo, un esposo y una esposa pueden decirse mutuamente que se aman y que estar juntos es lo más importante para ambos. Si te tomas tiempo para recordarte esta premisa básica de tu relación, la conversación tendrá un punto de partida de amor y comprensión. No se trata únicamente de las palabras que se dicen, es fundamental comunicarse positivamente durante el dramático cambio al que os vais a enfrentar. Si cada cual es consciente de que la razón de la discusión es llegar a un punto mejor para ambos, hasta las decisiones más difíciles pueden afrontarse y tomarse en colaboración. Es cuando la comunicación falla o una persona interpreta la discusión como un ataque personal que las cosas se salen rápidamente de madre. Antes de hablar sobre el desorden, hablad de lo que es importante para vosotros, discutid cuál queréis que sea el resultado final de la limpieza, poneos de acuerdo en las reglas básicas y, cuando las cosas se pongan difíciles o incómodas, volved constantemente a esa conversación inicial.

No te lo tomes como algo personal

Mientras hablas acerca de lo que esperas y de cuáles son tus objetivos en lo referente a las habitaciones de tu casa, asegúrate de que no empiezas a culpar a tu esposa, pareja, compañero de habitación o niños. Recuerda que casi todo hogar es una mezcla de un tipo u otro: personas de orígenes e intereses diferentes se enamoran o responden a un anuncio para compartir piso o están emparentados; son gente distinta que tiene intereses distintos en momentos distintos de la vida. Lo que es importante para ti puede parecerle trivial a tu hijo adolescente. Tienes que encontrar una forma de hablar sobre el espacio compartido sin discutir o no llegarás a ninguna parte, no dejes que tus cosas se conviertan en un campo de batalla para tus relaciones. En vez de concentrarte en tu desastre particular, piensa que es un problema de grupo que vais a resolver juntos. No utilices palabras como «tuyo» y «mío», habla sobre el desorden y los retos que os aguardan como «nuestros». Recuerda la premisa de partida: importa la opinión de todo el mundo. Eliminar las emociones y evitar los conflictos es fundamental para alcanzar vuestras metas compartidas. Sí, son metas compartidas, aunque una persona quiera quedárselo todo y otra prefiera tirarlo todo por la ventana. Debéis comenzar por los grandes objetivos que compartís como personas que viven bajo el mismo techo. Todo el mundo tiene que vivir en ese mismo hogar. Preocúpate también por los demás y todo el mundo encontrará paz y satisfacción entre esos muros.

PROBLEMAS DE COMUNICACIÓN

Aquí tienes algunas preguntas que te ayudarán a decidir qué cosas conservar sin necesidad de discutir o juzgar. La meta es reconducir la discusión para apartarla del objeto en sí o de su importancia en vuestras vidas.

Ejemplos:
1. En lugar de «¿Por qué no tiras todas tus herramientas?», pregunta: «¿Qué quieres hacer con este espacio?»
2. En lugar de «¿Por qué tenemos que quedarnos con el costurero de tu abuela?», pregunta: «¿Por qué le das tanto valor? ¿Qué sentido tiene?»

3. En lugar de «Aquí no hay espacio para todas tus cosas», di: «Vamos a ver cómo compartimos este espacio de un modo que nos convenga a los dos.»
4. En lugar de «¿Por qué tienes que conservar todos esos jerséis horrorosos que te ha dado tu padre?», pregunta: «¿En qué te hacen pensar o qué te recuerdan esos jerséis?»
5. En lugar de «No entiendo cómo puedes vivir entre tanta basura», pregunta: «¿Cómo te sientes cuando tienes que estar un rato en esta habitación?»

UNA TABLA DE LA FUNCIÓN DE CADA HABITACIÓN

Ahora que te has librado del desorden superficial y has recuperado un poco de espacio en tu hogar, deberías ser capaz de ver lo que es realmente posible. Distanciarse emocionalmente de las cosas es importante. Si no lo haces, la discusión puede transformarse rápidamente en batalla campal, lo sé, créeme, ¡he tenido que separar a más de una pareja que terminó gritándose! Ya tienes las reglas básicas de comunicación para dedicarte a limpiar las diferentes habitaciones de tu casa.

Querido Peter:
Espero sinceramente que puedas ayudarme. En los últimos cinco meses he trabajado muy duro para librar mi hogar de tanto desorden, y estoy realmente sorprendido de todos los trastos que tenía en cada habitación.

Pero no puedo hacerme a la idea de tirar la mayoría, así que lo he metido todo en el garaje y en el sótano. ¿Y sabes qué? Mi casa tiene un aspecto genial, pero ahora no puedo entrar ni en el garaje ni en el sótano. ¡Es que estoy seguro de que algún día necesitaremos todo lo que he guardado! Son cosas estupendas aunque no quepan en casa. ¿Qué debería hacer? ¡Ayúdame!

Habitación por habitación

Empecemos poniéndonos de acuerdo en la función de cada habitación. Puedes pensar que es obvia —y en algunos casos lo será—, pero puede que te sorprenda descubrir que no todo el mundo en casa comparte tu idea de la función que debe tener cada una. Vamos a empezar echando un vistazo a las diferentes piezas de tu casa. Crea una tabla para la función de cada habitación y pásale una copia a cada miembro de tu familia para que la rellene individualmente. Después compara los resultados.

En este estadio es mejor escuchar lo que todo el mundo tiene que decir sin desdeñar ninguna idea. ¡Cuantos más comentarios, opiniones y discusiones, mejor! Prepárate para las sorpresas y algunos puntos de vista muy interesantes.

Las preguntas de ese cuadro son simples y directas. Utiliza estas preguntas mientras recorres cada una de las habitaciones de tu casa y mantén una discusión más abierta y compleja con tu familia. Nunca crearás espacio en tu hogar si no permites que todos sus habitantes participen en un diálogo sincero y productivo. Las preguntas siguientes pueden inspirar esa conversación que os ayude a encontrar un terreno común cuando rellenéis la tabla de las funciones de las habitaciones.

¡Tíralo!

EJEMPLO DE TABLA DE LA FUNCIÓN DE CADA HABITACIÓN	
SALA DE ESTAR	
Función actual	
Función ideal	
¿Quién la utiliza?	
¿Quién debería utilizarla?	
¿Qué debería contener?	
¿Qué le sobra?	
COMEDOR	
Función actual	
Función ideal	
¿Quién lo utiliza?	
¿Quién debería utilizarlo?	
¿Qué debería contener?	
¿Qué le sobra?	
COCINA	
Función actual	
Función ideal	
¿Quién la utiliza?	

¿Quién debería utilizarla?	
¿Qué debería contener?	
¿Qué le sobra?	

DORMITORIO PRINCIPAL

Función actual	
Función ideal	
¿Quién lo utiliza?	
¿Quién debería utilizarlo?	
¿Qué debería contener?	
¿Qué le sobra?	

NOMBRE DE LA HABITACIÓN:

Función actual	
Función ideal	
¿Quién la utiliza?	
¿Quién debería utilizarla?	
¿Qué debería contener?	
¿Qué le sobra?	

Responde a estas preguntas para cada habitación de la casa que quieras ordenar.

PREGUNTAS PARA UNA CONVERSACIÓN
DE CARÁCTER GENERAL

1. ¿Qué es lo que más te gusta de esta habitación?
2. ¿Qué es lo que más te disgusta de esta habitación?
3. ¿Cómo te sientes cuando entras en esta habitación?
4. ¿Qué necesitas de este espacio?
5. ¿Qué desearías para que tus amigos estuvieran a gusto en esta habitación?
6. ¿Qué desearías que alguien más de la familia arreglase en esta habitación?
7. ¿Qué admites que debería arreglarse?
8. ¿Qué te cuesta más hacer o para qué necesitas ayuda?
9. ¿Cómo puedes ayudar más a los otros?

Cuando todos os hayáis puesto de acuerdo en los objetivos conjuntos, empezad a rellenar la Tabla de la Función de cada Habitación con la mejor combinación de ideas y comentarios de todos. La tabla, una vez completada, debería tener más o menos este aspecto:

EJEMPLO DE UNA TABLA DE LA FUNCIÓN DE CADA HABITACIÓN COMPLETADA	
SALA DE ESTAR	
Función actual	Pago de facturas y almacén para los recuerdos deportivos de papá.
Función ideal	Entretenimiento.
¿Quién la utiliza?	Papá.
¿Quién debería utilizarla?	Papá y mamá. Y los chicos en ocasiones especiales.

¿Qué debería contener?	Sofá, sillas y mesas sin montones de papeles. Suelo despejado.
¿Qué sobra?	Material deportivo. Y necesitamos espacio en el despacho para que papá revise las facturas.

COMEDOR

Función actual	Sobre todo, un lugar donde los niños pueden jugar y tener sus juguetes.
Función ideal	Un lugar de reunión donde la familia pueda comer junta. También podríamos celebrar cenas con amigos de vez en cuando.
¿Quién lo utiliza?	Los niños.
¿Quién debería utilizarlo?	Todo el mundo.
¿Qué debería contener?	Una mesa para comer y sillas, nada de trastos y espacio suficiente como para poder caminar alrededor de la mesa.
¿Qué sobra?	¡Los muñecos! Pero, ¿dónde los ponemos?

COCINA

Función actual	Sobre todo, el lugar donde se cocina y se come.
Función ideal	La misma que arriba.
¿Quién la utiliza?	Todo el mundo.
¿Quién debería utilizarla?	Todo el mundo.
¿Qué debería contener?	Comida, vajilla, artículos de cocina.

¿Qué sobra?	Demasiados artículos de cocina que no utilizamos. Es demasiado difícil cocinar y mantener las cosas limpias.
DORMITORIO PRINCIPAL	
Función actual	Dormitorio de papá y mamá, lugar de transición de la ropa para lavar y planchar y donde vemos DVDs.
Función ideal	¡Paz y tranquilidad! ¡Sueño!
¿Quién lo utiliza?	Todo el mundo mira películas juntos.
¿Quién debería utilizarlo?	Sería agradable poder ver películas en el estudio para tener un poco de intimidad.
¿Qué debería contener?	Nuestra cama y nuestra ropa.
¿Qué le sobra?	La tele y la colección de DVDs... es una locura, pero merece la pena intentarlo.
Responde a estas preguntas para cada habitación que quieras ordenar.	

¡Si estáis de acuerdo, genial! Pero no te sorprendas si tu esposo está prefiere el comedor para repasar las facturas o si los niños piensan que el sótano debería convertirse en un estudio digital para ver televisión o escuchar música, mientras que tú estarías dispuesta a convertirlo en un despacho.

ANTICIPARSE A LOS CONFLICTOS

Lo más probable es que todo el mundo tenga una opinión, incluso que algunas sean muy fuertes. Aquí tienes algunos de los conflictos más comunes de este período:

Visiones opuestas

Todos habéis escrito ideas distintas acerca de cómo puede servir a vuestras necesidades esa habitación de invitados, ahora inútil y llena de cosas. Deja que cada miembro de la familia defienda su opinión o su idea. Hablad sobre lo que más necesita la familia. ¿Es un despacho imprescindible para el funcionamiento de la unidad familiar? ¿Es el comedor el mejor lugar para reuniones sociales? ¿Mamá hace visitas frecuentes y necesita un lugar donde quedarse? ¿Merece una afición el espacio que consume o es una fantasía que nunca se convertirá en realidad?

Multiusos

A menudo, el problema no es que una familia esté en desacuerdo, sino que la habitación necesita tener más de una función. La sala de recreo en el sótano es el «único» lugar donde almacenar los recuerdos de familia o el despacho «debe» servir también como cuarto de invitados... Primero, piensa si esos múltiples usos de un mismo espacio son razonables o únicamente una excusa. Si la mayoría de las zonas de la vivienda están siendo usadas como almacén, es que no estás usando el espacio de que dispones para sacarle el máximo rendimiento. Este tipo de acumulación excesiva no sirve a ningún propósito legítimo. Por otra parte, tener un despacho que al mismo tiempo sirva como cuarto de invitados, no es raro ni irracional. Busca formas para que los usos de la habitación puedan superponerse. Cambia un sofá por un sofá cama o usa una mesa de despacho que también pueda servir como mesita de noche. Soluciones simples pueden ayudar a terminar con la confusión o el caos de una habitación.

Mientras progreses en la limpieza de tu hogar, debes recordar que el compromiso es importante. Hay que tomar decisiones acerca del espacio compartido sobre la base de lo que es mejor para toda la familia. Esto puede ser difícil, pero si todos se involucran, existen muchas posibilidades de que todo el mundo acepte el resultado. Y recuerda... ¡sólo porque seas el padre, no significa que se tenga que hacer automáticamente lo que tú digas!

DELIMITA ZONAS CONCRETAS DE LAS HABITACIONES

Las habitaciones sirven para diferentes funciones... a menudo, al mismo tiempo. Para decidir lo que va a quedarse y lo que debe tirarse, necesitas identificar las diferentes actividades que tendrán lugar en cada habitación. Por ejemplo, en la salita puedes ver la tele y oír música (CDs, DVDs y videojuegos), disfrutar de la lectura (libros y revistas) y tener material para envolver regalos (papel, cintas, tijeras y, posiblemente, un armarito). En tu cuarto de invitados, junto a una cama para las visitas, también puedes tener una mesa donde revisar las facturas y controlar los papeles familiares, así como para una afición o unas manualidades. Está bien tener una habitación que cumpla múltiples funciones, mientras no se mezclen los materiales que se necesitan para las distintas actividades.

Cuando hayas decidido lo que quieres hacer en la habitación, debes delimitar zonas para cada actividad. Esto es esencial para mantener el espacio organizado. Una vez empieces la organización, estas zonas se convertirán en el centro de acogida de objetos específicos para cada una de esas actividades. Así, quedará meridianamente claro qué lugar le corresponde a cada cosa, dónde encontrarla y dónde devolverla. Pensar en las habitaciones en términos de zonas o actividades ayuda a mantener el desorden a raya y a comprender cómo utilizar los espacios.

EJEMPLOS DE ZONAS

DORMITORIO PRINCIPAL
Dormir
Relajarse
Ropa
Zapatos
Ropa no de temporada y zapatos
Lectura

CUARTO DE LOS NIÑOS
Dormir
Ropa
Zapatos
Deberes
Juguetes
Lectura
Manualidades
Oír música

SALA DE ESTAR
Música y tele, vídeo y DVD
Lectura
Juegos
Colecciones
Fotos

DESPACHO
Pago de facturas
Lectura
Estudio
Ordenador
Correo
Archivos
Álbumes de recortes
Manualidades

COCINA
Preparación
Cocinar
Limpieza
Comer
Almacenamiento

GARAJE, SÓTANO Y OTROS
LUGARES DE ALMACENAMIENTO
Material de jardinería
Lavandería
Herramientas
Pinturas y productos químicos
Material deportivo
Adornos de temporada
Banco de trabajo

CUARTO DE BAÑO
Productos de limpieza
Productos de higiene personal
Productos extra
Productos compartidos
Medicinas

SALÓN
Relajación
Lectura
Almacenamiento

COMEDOR
Comer
Almacenamiento
Coleccionables
Vajilla de fiesta
Material de entretenimiento

HAZ CÁLCULOS

La gente parece a menudo extrañamente decepcionada cuando trabaja conmigo. De repente se da cuenta de que mucho de lo que hago no es mágico, que sólo mezclo un poco de sentido común con mi buen ojo para el espacio. Realmente, eso me hace sonreír.

Todo lo que hago está basado en sólidos principios y en un montón de experiencia. Cuando entro en una habitación, soy capaz de captar rápidamente lo que mejor encaja en ella y la mejor manera de organizar las cosas. Este «sentido» es el resultado de la experiencia, pero en gran parte también de simples cálculos que puedes hacer tú mismo sin tenerme en tu hogar. Es fácil: sólo necesitas calcular cuántos objetos caben en un espacio dado.

INTRODUCCIÓN A LAS MATEMÁTICAS DE «LOS TRASTOS»

Tienes tres estantes de dos metros y medio para colocar tus cintas de vídeo, CDs y DVDs. Son siete metros y medio de estantería.

En 30 cm de espacio te caben aproximadamente 11 cintas de vídeo o 20 DVDs.

25 CDs ocupan aproximadamente 30 cm de espacio. Así que saca cuentas.

Si quieres dedicar un estante a cada tipo de formato entonces te cabrán un total de 88 cintas de vídeo, 160 DVDs y 200 CDs.

Así es como tienes que hacer tus cuentas para cualquier tipo de espacio. Primero, mide el espacio disponible y después utiliza la tabla que viene a continuación para saber cuántas unidades de cualquier objeto caben en ese espacio. Luego ordena tus pertenencias hasta que tengas un número que sepas que cabrá cómodamente en el espacio del que dispones. Si te sientes ambicioso, líbrate de algunas más de la cuenta, así tendrás espacio para crecer.

Mientras trazas tu plan para las distintas habitaciones, deja que las matemáticas sean tu guía. ¿Qué cabe físicamente en un espacio dado? Mide la longitud total de tus estantes. ¿Qué espacio lineal para libros tienes actualmente? ¿Cuántos libros caben en él? ¿Cuál es el espacio disponible para colgar ropa? Evalúa cuántos artículos cabrán en ese espacio y así sabrás lo que tendrás que descartar. Necesitas evaluar tus limitaciones de espacio y adecuarte a ellos. Eso también te ayudará a quitar algo de emoción a la discusión. ¡Sólo tienes el espacio que tienes!

HOJA DE CÁLCULO PARA LOS TRASTOS	
ARTÍCULO	NÚMERO DE ARTÍCULOS QUE CABEN EN 30 CM
Cintas de vídeo	11
Cajas de DVDs	20
CDs en cajas	29
Cajas para 10 revistas	3 (30 revistas en total)
Libros	12
Pantalones/vaqueros	12
Camisetas/blusas	15
Chaquetas/trajes	6
Zapatos	Calcula poco más de 20 cm por par

Querido Peter:

Ayer me fui de Maui, mi hogar durante los últimos trece años. He reducido mis posesiones a menos de 30 m³. Una y otra vez, mientras pensaba si debía quedarme con un objeto o tirarlo, tus palabras resonaban en mi mente:

«Los regalos no son recuerdos. Sólo porque sea un regalo, no significa que debas conservarlo eternamente.

»Si es importante, quédatelo, con la condición de que demuestres lo que te importa.»

Tuviste un efecto profundo en mi vida. Gracias desde el fondo de mi corazón. *Mahalo nui loa.*

COSAS QUE NO TIENEN SITIO

Una vez has decidido para qué va a servir una habitación, descubrirás de inmediato que hay cosas que no tendrían que estar allí. Si vas a convertir el sótano es una sala de estar, ¿qué harás con las cajas de material deportivo? ¡No tienes otro lugar donde ponerlas, por eso precisamente están ahí! ¡Ajá! Ahora es cuando tienes que ponerte serio y empezar a tomar decisiones difíciles. Si algo no cuadra con la función de la habitación y no tienes ningún otro lugar donde almacenarlo, ¿vale la pena que te lo quedes? Es más fácil decirlo que hacerlo, lo sé. Así que, de momento, dejaremos este asunto en suspenso. Lo que ahora necesitas, es que todos los miembros de la familia se pongan de acuerdo en la Tabla de la Función de cada Habitación. Más tarde ya pasaremos a la parte difícil.

EL PLAN

Ahora, toma lo que hayáis decidido sobre el uso que vais a dar a cada habitación y añádele el plan para las habitaciones de toda la casa. Mantente centrado, recuerda que las habitaciones tienen una función. La vida se vive en el presente, no en el pasado ni en el futuro. Sigue preguntándote: ¿qué es más importante para mí? ¿En qué quiero invertir mi tiempo? ¿Cómo viviré en esta casa? Para que esto funcione, todo el mundo debe participar en el proceso y ceñirse al plan.

PASO 3

CONQUISTA TU HOGAR

Has dado el primer paso importante para vencer el desorden y organizarte. Con el arranque rápido, te deshiciste de los trastos superficiales, tiraste todo lo que sabías que era basura y todo aquello que no estabas seguro de querer conservar. Aunque sólo has arañado la superficie, has tenido que notar un cambio sutil pero obvio en el espacio donde vives: es un poco menos desordenado, hay un poco más de espacio libre, no es tan sofocante... Un buen principio. Cuando hiciste tu Tabla de la Función de cada Habitación, estuviste de acuerdo en que una casa como la tuya puede satisfacer varias necesidades y deseos. Ahora, vamos a convertir esa tabla en una realidad. ¿Cómo lo conseguiremos? Habitación por habitación.

POR DÓNDE EMPEZAR

Mucha de la gente con la que trabajo cree que si hace «limpieza general» o esconde las cosas en un guardamuebles resolverá su problema de acumulación. Nada más lejos de la verdad. El desorden tarda años en acumularse, así que es imposible librarse de él de la noche a la mañana. Y aunque pudieras, no resolverías el problema por mucho tiempo. Lo que estamos haciendo no es un trabajo de un día, sino aplicar un sistema, un proceso, que se convertirá en parte de tu rutina diaria. Si incorporas los principios organizativos que aprendas ahora a tu vida diaria, conquistarás el desorden y la acumulación de una vez por todas. ¡En realidad, es un proceso que te cambiará la vida!

El paseo de la bolsa de basura

Constantemente oigo: «No sé por dónde empezar. Esto me desborda.» La mejor forma de hacer el trabajo menos agotador es dividirlo en partes más pequeñas y manejables e ir habitación por habitación. Cada una de ellas plantea sus propios retos. Si miras las guías que vienen a continuación y todavía sigues intimidado, intenta convertirlo en una versión del arranque rápido, que yo llamo «el paseo de la bolsa de basura». Toma dos bolsas de basura y durante una semana, cada día, pasa diez minutos paseándote por casa y llenando una con basura: papeles viejos, ropa vieja o que ya no usas, revistas atrasadas, lo que sea que puedas clasificar como basura. Llena la otra con objetos que no quieras tener en tu hogar (los «fuera de casa», ¿recuerdas?). Quizá quieras dárselos a un amigo o a un familiar, incluso a una ONG. Si quieres vender artículos en un mercadillo particular o en la red, llena una tercera bolsa con ellos. Todo lo que te pide esta técnica son diez minutos diarios. Comprométete y verás cambios significativos.

Hazlo todos los días durante una semana y notarás una enorme diferencia.

Hazlo todos los días durante un mes y todo el mundo notará una enorme diferencia.

Hazlo todos los días durante tres meses y acabarás con el desorden de tu hogar.

Ahora, tírate a la piscina

El paseo de la bolsa de basura puede repetirse hasta lograr el objetivo final, pero la mayoría de la gente necesita un poco más de guía. ¿Recuerdas todas aquellas excusas para no tirar nada? Ahora recorreremos tu casa, habitación por habitación, y te ayudaré a superar tus lazos emocionales con todos aquellos objetos que no te ayudan a llevar la vida que quieres. Puedes recorrer las habitaciones en el orden que quieras, pero te sugiero que empieces por la más desorganizada y termines con la más ordenada. Y si la casa entera es demasiado para ti, plantéate ocuparte de una habitación por vez. Verás como funciona, verás como cambia, verás como tú cambias. Comenzaremos por aquí.

PASOS BÁSICOS

Hay tres pasos básicos que debes seguir en cualquier habitación.

1. Piensa globalmente
    Te pediré que pienses en cada habitación en particular, en las cosas que necesitas que estén allí, en las que tiendes a acumular en ella y en cómo enfrentarte a la tarea.
2. Marco de actuación
    Es el mismo para cada habitación. Te pediré:

- Remítete a tu Tabla de la Función de cada Habitación, consensuada por todos.
- Delimita zonas para las diferentes actividades que realizas en esa habitación.
- Deduce lo que no encaja en ella.

3. Manos a la obra

Es el plan de acción que te ayudará a hacer realidad tu idea de ese espacio.

HABITACIÓN 1

EL DORMITORIO PRINCIPAL

Ninguna habitación de una casa tendría que ser más importante para una pareja que su dormitorio. El desorden y los trastos en el dormitorio principal tienen más impacto en la vida familiar, en la paz y la armonía, en el amor, el respeto y la relación que los de cualquier otra habitación.

Miremos la Tabla de la Función de cada Habitación. ¿Cuál es tu idea de este cuarto? ¿Un paraíso romántico? ¿Un retiro pacífico? ¿Y cuál es la realidad? Colócate en el centro de tu dormitorio con tu pareja y echa un vistazo a tu alrededor. ¿Qué ves? ¿Cómo te sientes? El desorden, definitivamente, puede alejar el amor de una relación. Si tienes tu espacio atestado y desorganizado, ¿te extraña que la pasión en tu relación haya disminuido? Por duro que suene, es difícil hacer el amor en una pocilga.

Piensa en el lugar más romántico que jamás hayas visto. ¿Era un hotel? ¿Un *spa* de fin de semana? ¿Un campo de hierba en el que retozar? Vale, vale, no necesito tanta información. Pero te apuesto lo que quieras a que es un lugar sin desorden que pueda distraerte de tus momentos románticos. Si estás intentando crear paz y tranquilidad en tu hogar, en tu dormitorio, sigue ese mismo principio básico. ¿Qué pretendes conseguir del espacio donde duermes, y donde tú y tu pareja vivís vuestros momentos más íntimos? ¿Cuál es tu visión de esa relación? Tu dormitorio debería ser un espacio que reflejase eso, además de una calma, una calidez y un amor acogedores. Reclama tu espacio. Sólo tú puedes lograrlo.

PIENSA GLOBALMENTE

El dormitorio principal es tu espacio. Líbrate de los videojuegos de los niños, de sus juguetes y de su ropa; los chicos tienen el resto de la casa para ellos. El dormitorio principal debería ser territorio prohibido. ¿Te parece duro? Quizá, pero si no eres capaz de crear un espacio para que tu pareja y tú disfrutéis, ¿quién lo hará? Concéntrate en lo que quieres para este espacio y mantén esa imagen en mente mientras te libras de la aglomeración de trastos inútiles, organizas lo que sí pertenece a ese espacio y estableces la base para una romántica huida de las preocupaciones y problemas de la vida diaria. Ésta es la razón fundamental para organizarse: vivir una vida más enriquecedora, más plena y más gratificante. ¡Adelante!

MARCO DE ACTUACIÓN

- Remítete a tu Tabla de la Función de cada Habitación, consensuada por todos.
- Delimita zonas para las diferentes actividades que realizas en el dormitorio principal.
- Deduce lo que no encaja en él.

MANOS A LA OBRA

Un poco de romanticismo

Plantéate reforzar los aspectos de tu dormitorio que lo hagan más romántico y descartar todo aquello que no refuerce la idea de un refugio y un paraíso adulto. Eso puede significar que el cuarto sea menos una sala de cine y más un centro de relajación, menos un cuarto de juegos para los niños y más un punto de ocio adulto. He visto dormitorios que servían de sala de estar, despacho casero o sala de juegos... Nada de esto es compatible con la función y el propósito de un dormitorio principal. Cuando la función de una habitación se pierde, el desorden aparece inevitablemente; no dejes que esto ocurra en uno de los espacios más importantes de tu hogar. Te prometo que la calma que crees en este espacio influirá en la relación con la persona que más amas.

Querido Peter:

Mi esposo y yo estábamos estancados en la rutina. Tenemos tres hijos, tres trabajos entre los dos, y lo único que podíamos hacer todas las noches era abrirnos paso entre montones de ropa y muñecos que formaban un laberinto en el camino hasta la cama. Apartábamos las cosas y caíamos rendidos, para volver a empezar por la mañana. A veces tenía gracia —como una vez que mi marido despertó con un Pokémon pegado a la mejilla—, pero casi siempre me sentía una compañera de habitación asexuada.

Por fin, cuando sus padres se ofrecieron a quedarse con los chicos un fin de semana para que pudiéramos pasarlo a solas, decidí ordenar nuestro dormitorio. Mis amigos pensaron que estaba loca, que debíamos irnos a un balneario y relajarnos, pero estaba harta. Saqué los juguetes, saqué los videojuegos, la ropa... Llené bolsas de basura de ropa vieja que no cabía en los armarios y puse un cartel en la puerta que decía: «No se permiten juguetes.» Los niños podían entrar en nuestro dormitorio, pero no dejar nada en él.

Puede que nos perdiéramos un fin de semana romántico en un balneario, pero hemos recuperado nuestro dormitorio. Y con él... Bueno, te ahorro los detalles.

El mobiliario del dormitorio y tu ropa pueden quedarse; todo lo demás, fuera. Ya me has oído: el mobiliario y la ropa, eso es todo. Toma aliento y quédate conmigo un instante.

Hace poco hablaba con una periodista que escribía un artículo sobre los dormitorios desordenados. Conversábamos, como es habitual, sobre los problemas de orden a los que se enfrenta la gente. Aparentemente, ella siempre se había considerado una persona «organizada», pero su compañero nunca se había sentido muy predispuesto a mantener su casa libre de trastos. Un fin de semana decidió limpiar el armario del dormitorio principal, vaciarlo de ropa que ya no se ponía y reorganizar el espacio. Cuando terminó, se quedó allí unos diez minutos disfrutando de la sensación. A la mañana siguiente, cuando se vestía para ir al trabajo, se dio cuenta de que se sentía más tranquila y estaba más concentrada. Sorprendentemente, su novio reconoció que sentía lo mismo. Resultó algo —más allá de encontrar fácilmente la ropa que querían ponerse— muy sorprendente para ambos.

Necesitas poner orden en tu dormitorio principal, aunque sólo sea por esa sensación de tranquilidad y bienestar. Si tu dormitorio se ha convertido en una zona atestada de cosas o en un lugar donde te despiertas por la mañana sintiéndote más cansado que cuando te fuiste a la cama, es hora de cambiar. Imagínate tu cuarto limpio y ordenado, convertido en una zona donde puedes relajarte y recuperarte de los avatares diarios. ¿Qué hay en la habitación que sirva a ese propósito? ¿Qué te aleja de él? Vas a tener que librarte de todo lo que no contribuya a esa función. Una vez lo hayas hecho, ¿tendrás espacio para una silla muy cómoda o, incluso, para una pequeña tumbona? ¿Es la luz lo bastante suave para crear un ambiente romántico? ¿Te imaginas una relajante música de fondo mientras lees en una silla o antes de dormir? Líbrate de todo lo que no te sirva para conseguir el ambiente adecuado. ¡Convierte tu dormitorio principal en un espacio personal y mantenlo así!

¿Dónde meto el resto de cosas?

Ahí está. El primer paso para conquistar el dormitorio principal es librarte de los trastos que te impiden descansar y que no sirven para la relajante y romántica función del dormitorio. Naturalmente, puedes sentirte tentado a guardar cosas en él que no cumplan con esa función. Quizá sea el único lugar de tu casa con espacio suficiente para colocar una pequeña mesa de trabajo, puede que no resulte ideal pero es práctico. Respeto tu realismo... pero no. Tengo que negarme. Da prioridad a tu relación, preserva tu sensación de paz. Lo importante es tu sueño, así que busca otro lugar para la mesa. Aunque vivas en un estudio, tienes que crear un espacio separado, sagrado, para tu dormitorio. Pon una pantalla o una cortina, da igual; si no puedes permitirte construir un muro de separación, usa una estantería para crearlo. Es demasiado importante para ignorarlo.

TRABAJA POR ZONAS

Las zonas críticas en la mayoría de dormitorios son las mismas: aquellas en las que duermes, te relajas, te vistes, tienes los muebles para guardar la ropa de temporada y la de otras temporadas, los zapatos y los accesorios. Ahora, vamos a organizar esas zonas, una por una.

Ya no tienes quince años... ¡hazte la cama!

Una vez hayas librado tu dormitorio de las funciones que no le corresponden, lo siguiente es reforzar la sensación de tranquilidad y espacio que te ayudará a relajarte y a disfrutar de él. Lo primero es lo primero: la cama. Es una zona en sí misma: la zona donde duermes. ¿Recuerdas que tu madre solía decirte que te hicieras la cama? ¡Tenía razón! Parece algo trivial, pero la cama es el ancla del cuarto y marca el tono de toda la habitación. Como muchas de las cosas que tienen que ver con el orden y la organización, necesitas crear en tu dormitorio el clima adecuado. Una cama bien hecha anima al orden e inspira calma.

Ya sabes lo agradable que es entrar en una habitación de hotel, con sus sábanas limpias y la cama bien hecha. Crea esa sensación en tu hogar. Cuando termina el día, ¿a quién le apetece acostarse en medio de un desastre arrugado? Siempre es mejor hacerlo en una cama bien hecha. Cumple con esa parte de tu compromiso diario para conseguir la santidad de tu dormitorio.

La cama es plana, especialmente cuando está hecha, y esa llanura es tentadora. No dejes que tu preciosa cama recién hecha sea otra cosa que una invitación para volver a ella por la noche. Tu cama no es un lugar para amontonar cosas, ni un cesto para la ropa, ni un cajón para los muñecos.

ROPA

Ordenar la ropa es probablemente el problema más común con que me he encontrado. Papeles y juguetes son a menudo el segundo en importancia, pero la montaña de camisetas, perchas, ropa interior, infinitas camisas y millones de calcetines sin pareja suele mantenerme de lo más entretenido.

La ropa no es muy cara y constantemente nos bombardean con cambios de estilo, últimas modas y los accesorios más geniales; además, siempre nos tientan con descuentos y rebajas. Y, encima, tenemos un vestuario para cada estación. Súmalo todo y seguro que tienes una combinación por exceso. En un dormitorio, la ropa siempre es el problema principal.

Así se reduce drásticamente el espacio útil que la ropa ocupa en la habitación y el estrés inevitable que crea su acumulación.

Revisa tu armario ropero

Los armarios tienen una capacidad limitada, así que debes ajustar la cantidad y el volumen de ropa a ese espacio. De nuevo es una simple operación matemática. No puedes meter cien vestidos en un metro de armario... ¡y no es que la gente no lo haya intentado! Calcula cuánto espacio tienes para la ropa doblada, para las camisas de manga larga y corta, para la ropa interior y los calcetines, para las corbatas y los pañuelos y para guardar la ropa que no sea de temporada. Las prendas que queden al final de este proceso deben caber razonablemente en el espacio de que dispones. Cuando se habla de ropa, se suele hablar de un problema de falta de espacio... ¡nunca se tiene suficiente! Pero el verdadero problema es el exceso de ropa, eso es lo que necesitamos solucionar.

¡Es que era todo tan barato...!

Cada vez que ayudo a ordenar los armarios de alguien, me encuentro con ropa que todavía lleva la etiqueta de la tienda, sin estrenar. Cuando pregunto el motivo, la respuesta siempre es la misma: «¡Era tan barato que no me pude resistir!» Ah, las rebajas. Y ahí está, colgada del armario y sin usar. Por favor, ¿explícame exactamente dónde está lo barato? Si tienes ropa sin usar en el armario más de seis meses, deberías dársela a beneficencia o a una ONG, o venderla por Internet para conseguir el mejor precio posible. Sácala del armario, gana espacio para las cosas que realmente te gustan y utilizas.

La regla del 80/20

Llevamos el 20% de nuestra ropa el 80% del tiempo. ¡Es sorprendente, pero cierto! Nunca te pones buena parte de la ropa que guardas en el armario o lo haces tan pocas veces que apenas notarás su desaparición. Por experiencia te digo que no hay armario que no contenga ropa comprada por impulso y que apenas nos ponemos (¡si es que lo hacemos alguna vez!), acumulando una fina capa de polvo, ¿verdad? Si lo reconoces, no necesitas que te diga lo que tienes que hacer.

No necesitas que te convenza, pero deja que sea tu propia ropa la que te lo diga. Una forma muy efectiva de identificar lo que debe quedarse y lo que debe desaparecer es el truco de «las perchas al revés». Da la vuelta a la ropa que tienes colgada en el armario de forma que las perchas miren hacia ti. Durante los próximos seis meses, cuando te pongas una prenda, devuélvela al armario con la percha mirando hacia el fondo. No hagas trampas. Si te la pruebas pero al final decides no ponértela, asegúrate de que la percha quede al revés. Y prepárate para llevarte una enorme sorpresa cuando, seis meses después, eches un vistazo a las prendas que tienen la percha del derecho y las que la tienen al revés. Ésas serán las prendas que no te has puesto y tendrías que pensar seriamente en librarte de ellas.

Despídete de las perdedoras, saluda a las ganadoras

Dado que la ropa puede ser tan barata, tendemos a comprarla espontáneamente, sin pensarlo demasiado. Ves unas rebajas, o unos saldos, y «tienes que comprar algo» porque te parece una buena compra. El criterio para la ropa que debes conservar en tu armario está muy claro. Sólo deberías guardar la ropa que:

- te gusta
- te sienta bien
- te hace sentir a gusto cuando te la pones
- hace que la gente te piropee cuando la llevas

¿De qué sirve guardar ropa que nunca te pones, que no te favorece o que ni siquiera te gusta? Sólo porque la hayas comprado, no significa que tengas que atesorarla o ponértela. No te vistas de acuerdo con la vida que llevas actualmente. ¡Vístete para la vida que quieres llevar! Líbrate de la ropa que no cuadra con tu idea de la vida y gana espacio. Dale a tu ropa —y a ti misma— espacio para respirar y te sentirás estupendamente cuando vayas al armario y elijas lo que quieres ponerte. ¡Disfruta del *feedback* positivo y los halagos por llevar una ropa que te sienta bien y que refleja tu nuevo yo, ordenado y organizado!

La ropa del quiero

Quiero, quiero, quiero. «¡Quiero que mi culo sea más pequeño!» «¡Quiero perder diez kilos!» «¡Quiero tener la cintura que tenía cuando jugaba a rugby en el instituto!» El hecho es que casi todo el mundo con quien he trabajado tenía «ropa del quiero» en el armario. ¡A veces, metros y metros! Siento simpatía por sus esperanzas y aspiraciones, por supuesto, pero la ropa del quiero sólo sirve para una cosa... ¡para burlarse de ti! Ahí está, cada mañana, cuando abres el armario, contemplándote y burlándose silenciosamente de ti. Bueno, pues ha llegado la hora de librarte de su reinado de burla y terror. Necesitas reunir toda la ropa que ya no te cabe, todas las prendas que has mirado pensando «quiero eso o quiero aquello otro». Métalas en el coche y llévalas inmediatamente a una organización benéfica. Esa ropa ya no tiene sitio en tu hogar.

Ya oigo tus protestas. «¿Y si pierdo peso?» «¿Qué pasará cuando vuelva a tener la talla cuarenta?» «Pero ¡me costó un ojo de la cara!» «¡Es que pronto voy a hacer ejercicio!» Escúchame bien, si hoy mismo empiezas una dieta y un programa de ejercicio, tardarás tiempo en recuperar tu peso y tu talla ideales. ¡Sé paciente contigo! Cuando consigas ese peso que buscas, recompénsate. Compra algo de ropa que te guste y del estilo que te guste. Nadie quiere verte con un chándal de seda de hace quince años. Si te es absolutamente necesario, guarda una prenda como fuente de motivación. El resto... deshazte de ello, no te lo pienses dos veces.

Ordena las prendas por color y estilo

Hace un par de años, ayudé a una mujer a aligerar sus armarios. Sacamos toda clase de prendas y descubrimos que tenía unas dieciséis blusas de seda negra prácticamente iguales. Tenía tanta ropa que, simplemente, se había olvidado de todo lo que había comprado y, cuando veía un artículo de moda en la tienda —es decir, la blusa de seda negra número...— la compraba. ¡Dieciséis veces!

Ayuda mucho tener las prendas similares agrupadas en tus armarios y cajones. Los jerséis en un estante, las camisetas en otro. Cuelga los pantalones largos y los vaqueros en una zona, y camisas y chaquetas en otra. Esto te ayudará a distinguir fácil y rápidamente todo lo que tienes, y a considerar con eficiencia tus opciones. Ya no estarás paralizado frente al armario, sin la menor idea de qué ponerte.

Puede parecer radical, pero un código de colores también ayuda. No rechaces la idea tan deprisa: si agrupas las prendas de un mismo color, puede que te lleves toda una sorpresa al ver cuántas tienes casi idénticas. Esto es especialmente cierto en el caso de las camisas, las camisetas y los pantalones. Tendemos a que nos gusten un estilo y un color particulares, aunque sea inconscientemente. Un código de colores te permite ver rápidamente cuántas prendas prácticamente repetidas tienes en tu guardarropa y la escasa necesidad de comprar otras similares en el futuro.

Camisetas

Hay demasiadas camisetas gratis en el mundo, y el problema es que, una vez han llegado a tu armario, nunca lo abandonan. Es hora de que eso cambie. Coloca todas tus camisetas sobre la cama y ordénalas por colores. Es muy posible que tengas un montón del mismo color... y apostaría lo que fuera a que son blancas, aunque tengan algún dibujo o lema que las adorne. ¡Recuerda que sólo puedes ponerte una cada vez! ¿Cuánto espacio les estás dedicando a tus camisetas? ¿Cuán a menudo haces una colada? ¿Cuántas necesitas realmente? Comienza librándote de una de cada tres o cuatro que conserves. O quédate con un número razonable de cada color, unas cuatro. Reduce el número total de camisetas utilizando este método y haz lo mismo con las camisas.

Y con los pantalones.

Y con las faldas.

Zapatos, zapatos y más zapatos

Cuando ayudo a la gente a librarse de su acumulación de cosas, lo más problemático suele ser cuando me interpongo entre un cliente y sus zapatos. Créeme, la gente pierde completamente la cabeza cuando le dices que debe reducir el número de zapatos que guarda en el armario, o debajo de la cama, o en el cuarto de invitados o, incluso (como me ha sucedido un par de veces), almacenados en diez cajas en el garaje. Desaparece toda capacidad de razonamiento y las cosas se ponen feas muy, muy rápidamente. No obstante, existen algunas buenas estrategias para aligerar la sección de zapatería.

Para empezar, coloca todos tus zapatos en un espacio abierto. Tu dormitorio puede ser un buen sitio si ya lo has ordenado; si no, usa el salón o un lugar similar. En casos extremos, servirá el patio trasero de tu casa. Alinea los zapatos por pares, agrupando los que sean similares: una fila para los negros, otra para los deportivos, otra para los de paseo... Luego repasa rápidamente las filas descartando aquellos que ya no quieras o ya no te pongas. ¿Hecho? Bien. Ahora, vuelve a repasar las filas descartando esta vez los que sean duplicados innecesarios. Me refiero a los pares del mismo tipo: dos pares de deportivos, dos de chancletas negras, etc. Ya captas la idea.

Cuando creas que has hecho todo cuanto está en tu mano, vuelve al armario y calcula el número de zapatos que cabe razonablemente en el espacio que tienes. Si todavía son demasiados, intenta descartar un par de cada cinco que aún conserves. Finalmente, recuerda: a partir de ahora, intenta evitar por todos los medios volver a la misma situación. Cuando te compres un par de zapatos, tira otro. Es simple: si uno entra, otro sale.

Calcetines

Hace poco, estaba ayudando a Jan y Thomas a organizar su dormitorio principal cuando me topé en el fondo de su armario con dos enormes bolsas de basura llenas de calcetines. Jan se sintió inmediatamente avergonzada. Resultó que las bolsas estaban llenas de calcetines desparejados porque, cada vez que hacía la colada, simplemente, desaparecían uno o dos. ¡Las dos bolsas contenían cinco años de calcetines huérfanos!

Cuando le pregunté a Jan por qué guardaba los calcetines desparejados, me dijo que lo hacía porque estaba segura de que, tarde o temprano, aparecería la pareja del que había guardado. ¡Ojalá! Hice un trato con Jan para que descartara todo calcetín que no tuviera pareja. ¿Valía la pena guardar las dos bolsas de basura rebosantes por un par o dos que podría terminar reuniendo? Creo que ya sabes la respuesta.

Vacía el cajón de los calcetines sobre la cama. Descarta todos los que no tengan pareja, o que estén agujereados o gastados. Devuelve al cajón únicamente los pares que quepan razonablemente. Tú sólo tienes dos pies y la semana sólo tiene siete días. Nadie necesita un cajón repleto de calcetines.

Ropa interior

¡Sólo porque no se vea, no tiene por qué ser feo! Líbrate de cualquier calzoncillo o braga que haya pasado claramente de su fecha de caducidad. ¡Ahórrame los detalles, hazlo! No te quedes con unos sujetadores sólo porque son caros. Ni con las medias pasadas de moda. Líbrate de mallas, medias, bragas, tangas, camisones y de toda la ropa interior que nunca te pones.

Tu dormitorio es la habitación más privada de tu casa. A veces, eso significa que sufre las peores embestidas de la aglomeración. Es tentador ocultar el desorden tras unas puertas cerradas, pero no te olvides de que el dormitorio es el escenario de tus momentos más íntimos y vulnerables. No lo sobrecargues con funciones conflictivas, tu psique y tus relaciones pagarán inevitablemente un precio por ello.

VISTIÉNDOTE

Todos tenemos momentos en los que nos probamos diferentes prendas antes de decidir qué nos ponemos. No dejes que la ropa descartada se acumule en una silla o sobre la cama, vuelve a guardarla en cuanto la descartes. Mejor todavía, si has descartado algo porque no te sienta bien, no te molestes en volverlo a colgar, métalo inmediatamente en la bolsa de basura.

Cuando te cambies al volver del trabajo o antes de meterte en la cama, asegúrate de volver a colgar la ropa que te has quitado o llévala inmediatamente al cesto de la ropa sucia: no debes dejar nada en la silla ni en el suelo.

Complementos

Los complementos —un pañuelo, un collar, un bolso de mano, una pulsera— realzan un traje o un vestido. Recuerda que, con los complementos, se cumple el dicho de «poco es mucho». Los bolsos, fáciles de comprar y difíciles de abandonar, son especialmente complicados de guardar.

Hablando de bolsos, te hago un trato. Si no los usas todos, rebaja la colección hasta que cuadre con el espacio de que dispones. Y si tienes espacio para una colección de bolsos caros, vacía el bolso cada noche —igual que los hombres se vacían los bolsillos— para mantener el contenido controlado y que sea fácilmente transferible a otro modelo.

La joyería puede tener un tamaño tan diminuto que no provoca problemas de acumulación, pero es muy difícil guardarla con pulcritud, y la mayoría de la gente sólo se pone una pequeña parte de lo que tiene. Quiero que disfrutes de tus posesiones gracias a la mejor organización posible, incluso cuando esto implique fijarse en los detalles más ínfimos.

Empieza tirando todas las cajitas en las que llegaron tus joyas. Pueden parecer elegantes y valiosas, con su interior de terciopelo, pero no lo son. Ahora, líbrate de todo lo que no sueles ponerte, no importa lo valioso que sea (si realmente es tan valioso, podrás venderlo fácilmente en eBay, porque las joyas son fáciles de empaquetar y baratas de enviar). Quédate con un solo joyero para toda tu colección: collares, anillos, brazaletes y pendientes. Intenta colocar todos los pendientes en un paño para ver de un vistazo todas tus opciones; esto también evita que pierdas o separes algún par.

Invierte en una cesta para la ropa sucia

Es una regla sencilla: tu ropa siempre debe estar colgada o guardada en armarios y cajones; la ropa sucia pasa a una cesta antes de ir a la lavadora y la secadora. Nunca he sido capaz de comprender la necesidad de cubrir el suelo del dormitorio con los calcetines, la ropa interior, la camiseta y los tejanos del día anterior. Considera lo que pretendes que sea tu dormitorio y pregúntate si un montón de ropa sucia en el suelo forma parte de ese plan. No lo creo. Acostúmbrate a meter la ropa sucia en una cesta en cuanto te la quites, evitarás que el dormitorio se llene de ropa sucia desordenada, una monstruosidad que nadie quiere, y tendrás toda la ropa para lavar en un mismo lugar, lista para la lavadora.

ALMACENAMIENTO

La mayor parte de tu armario debería estar lleno de ropa que te pones mucho y que te hace sentir bien. Aprovecha el cambio de temporada para revisar tu vestuario y librarte de lo que ya no te pones. Deshazte de las prendas de la siguiente temporada que ya no te gusten aprovechando que las sacas del lugar donde las guardaste. Lava y guarda la ropa cuando termina la temporada para que sea fácil de encontrar en tu armario.

¿Qué tienes debajo de la cama?

Mira debajo de la cama de tu dormitorio principal. El *feng shui* enseña que es extremadamente nocivo para el flujo de energía tener algo debajo de la cama. No soy un experto en *feng shui*, pero sé que un espacio desordenado es un espacio malgastado.

Recoge todo lo que tengas bajo la cama o en medio de la habitación. Suele haber monstruos debajo de las camas (pelusas de polvo) —y «cultivarlos» ahí no es saludable ni necesario—. Decide si quieres aprovechar el espacio para almacenar algo. Si es así y no tienes otro sitio para ponerlo, mete los artículos en esos cajones con ruedas y cierre hermético. Ciérralos y guárdalos bajo la cama. Seis meses después (o cuando cambie la temporada, si es ropa lo que has guardado), si no has necesitado nada de lo que tenías bajo la cama, piensa seriamente en tirarlo. Mételo en bolsas y a la basura.

Que algo no se vea no significa que no esté presente en tu mente. Si quieres que tu dormitorio principal sea un santuario, un paraíso para tu pareja y para ti, tendrás que asegurarte de ordenar también las zonas que no se ven a simple vista.

SÉ REALISTA: DONA A INSTITUCIONES BENÉFICAS

Las organizaciones benéficas reciben unos quinientos millones de kilos de ropa cada año... y aprovechan menos de la mitad. La ropa suele ser barata, y el coste de separarla, lavarla, almacenarla y transportarla supera su valor real. Un artículo que no le sirva a un miembro de la familia, probablemente tampoco será lo bastante bueno para donarlo a caridad. Está muy bien reducir impuestos de esa forma y te hace sentir que no malgastas el dinero pagado por la ropa que compraste, pero si realmente quieres hacer un donativo, infórmate antes de las necesidades de la organización. Estas entidades no tienen como fin recibir tu basura. Habla con las de tu localidad y averigua lo que más necesitan. Aunque las donaciones a organizaciones de beneficencia son una forma estupenda de librarte de los trastos, es mucho mejor que impidas que se te acumulen en casa.

HABITACIÓN 2

EL CUARTO DE LOS NIÑOS

Los niños aprenden mucho más de lo que ven que de lo que oyen. ¿Por qué si no los padres suelen decir: «Todo lo que le digo le entra por una oreja y le sale por la otra»? Para mí es frustrante escuchar a los padres quejarse de que sus hijos no ordenan la habitación o no cuidan de sus cosas. Inevitablemente, también oigo a esos mismos padres quejarse del desorden que reina en su casa. No te quejes de que tu hijo no ordena su cuarto, si tu armario escupe ropa o el garaje está tan lleno de trastos que no recuerdas cuándo fue la última vez que pudiste aparcar en él. Sé un modelo de conducta para tus hijos y entonces sentiré algo de simpatía por ti.

PIENSA GLOBALMENTE

La forma en que funciona un hogar afecta mucho a su contenido, y la típica casa estadounidense lleva veinte años funcionando mal. Las investigaciones más recientes indican que hay familias que no pasan mucho tiempo juntas y que el tiempo que pasan unos con otros es para ir y venir del colegio, actividades extraescolares, acontecimientos deportivos o, como suele ser usual, ir de compras.

Los niños tienen más acceso que nunca a enormes cantidades de información y son la víctima perfecta de los medios de comunicación y de la publicidad. Es más imperativo que nunca para los padres ser realmente padres, demostrar con sus palabras y sus actos lo que valoran y modelar la conducta de sus chicos. Según mi experiencia, cuanto menos desorden y más organización haya en casa, menos estrés, más diversión y mayor armonía.

MARCO DE ACTUACIÓN

- Remítete a tu Tabla de la Función de cada Habitación, consensuada por todos.
- Delimita zonas para las diferentes actividades que realizas en el cuarto de los niños.
- Deduce lo que no encaja en él.

MANOS A LA OBRA

Delimita las zonas

Cuando delimitas las zonas con tus hijos, es importante que los ayudes a entender qué lugar tiene cada cosa en su habitación, y en la casa en general, asignándoles uno específico. Eso refuerza la idea de que todo tiene un lugar apropiado. También hace más fácil para los niños ordenar su habitación y contribuye a que se responsabilicen del orden de su propio espacio.

Como punto de partida, piensa en las cosas que les gustan a tus hijos: muñecos, leer, dibujar o pintar, juegos de mesa, modelismo, colecciones de insectos, tocar un instrumento...

Crea un lugar para cada una de esas actividades. Una estantería para el material de lectura, una más baja para los juegos de mesa, cajones para los muñecos, una mesa para pintar o hacer manualidades, un pequeño atril y carpetas para las partituras, y así sucesivamente. Una vez delimitada la zona para cada actividad, sé creativo, señálala con un cartel. Involucra a tus hijos, asegúrate de que los estantes y las cajas tienen la altura apropiada para los niños e insiste en el lugar donde deben guardar o exponer sus cosas.

ZONA DE JUEGOS

Hazlo divertido para los niños pidiéndoles que elijan un objeto que represente cada una de sus actividades. «¿Arte? ¿Qué puedes encontrar entre tus cosas que represente el arte?» Al cabo de un rato tendrás un montón de cosas que representan las actividades: un pincel para el arte, una almohada para dormir, un libro para la lectura, etc. Ahora pídeles a tus hijos que hagan un cartel (o saquen una foto) de cada uno de esos objetos. Úsalos para diferenciar las distintas zonas.

Un cajón enorme para los muñecos

Delimitar las zonas es sólo el principio. Ahora, echemos un vistazo a los objetos que hay en ellas. Para muchas familias con las que he trabajado, la norma es el exceso. ¡Si un juguete es bueno, cincuenta juguetes deben ser algo genial! Si un niño disfruta de un juego, veinte juegos le procurarán veinte veces más disfrute, ¿no? Pues no. Muchos padres sepultan a sus hijos en juguetes y regalos, hasta el punto de que he encontrado hogares atestados de juguetes, peluches, aparatos electrónicos, bicicletas y mil cosas más. Las fiestas de cumpleaños y los regalos de fin de curso sólo empeoran las cosas; los abuelos suelen mimar a sus nietos y muchos padres me confiesan que no saben cómo decirles que no. ¡Por el amor de Dios, pues ya es hora de que aprendan!

Esté donde esté el problema, ya sea en el cuarto de tus hijos, en la habitación para jugar o en terreno común de la casa, siempre nos toparemos con el mismo reto: los juguetes. Todos sabemos que los juguetes son importantes, de acuerdo. Inspiran, educan y entretienen a tus hijos, pero, si sabes controlarlos, les enseñarás mucho más que únicamente a jugar.

Todas las lecciones importantes que los niños necesitan aprender sobre la vida pueden aprenderlas de sus cajas de juguetes... si los padres son lo bastante valientes y cariñosos como para darse cuenta de que, para sus hijos, menos es más. (No hace falta decir que un montón de adultos también podrían aprender un par de cosas.) Los niños necesitan tres cosas básicas para sobrevivir y prosperar: amor, alimento y refugio. Sin esto la vida sería imposible; pero también necesitan otras dos: límites y rutinas. Los niños prosperan con los límites y disfrutan con las rutinas. Crea un modelo de vida planteando y reforzando límites razonables y estableciendo rutinas muy claras.

Poniendo límite a los juguetes

Hoy día, los niños se distraen con facilidad. Tienes mucho que hacer, así que te resulta cómodo ofrecerles un flujo constante de nuevos juguetes para mantenerlos ocupados. Suele ser más fácil satisfacer sus peticiones (¡o sus exigencias!) de nuevas formas de entretenimiento que establecer un plan diario de juegos o encontrar tiempo para ir a un museo o un parque. Si un niño sólo tiene que pedirlo —o gritar— y sabe que de esa forma obtendrá un nuevo juguete, ¿cómo va a aprender que no puede tenerlo todo? La idea de que comprar, comprar y comprar está muy bien se adquiere a una edad muy temprana, y es muy difícil corregir el hábito más tarde. ¿No es ésa la razón de que estés leyendo este libro?

Los primeros tres años de un niño cimentan el resto de su vida. Desde el principio, tú, como padre, debes poner límites a lo que tu hijo puede poseer. Aquí tienes una estrategia fácil para conseguirlo: dale a tu hijo un par de cajones para guardar juguetes —bueno, o tres, lo que te parezca más razonable según el espacio que tengas—. Estos cajones serán la casa de los juguetes, no los muebles del salón, ni el dormitorio de papá y mamá, ni el asiento trasero del coche... Cuando los cajones estén llenos, se acabó. No hay más juguetes. Antes de comprar uno nuevo, otro de tamaño similar debe ser eliminado y entregado a una organización benéfica o a otro niño que sepa valorarlo y jugar con él.

LECCIONES QUE SE APRENDEN PONIENDO LÍMITE A LOS JUGUETES

Poner un límite le enseña al niño que:

- No puede tenerlo todo.
- Da alegría y satisfacción donar juguetes a otros menos afortunados.
- Papá y mamá (o los abuelos) no son una fuente inagotable de regalos.

- Debe tomar sus propias decisiones sobre las cosas que le pertenecen.
- Debe decidir qué es lo más importante para él, valorarlo y cuidarlo.

Esto puede parecer difícil, pero los niños no necesitan un flujo ilimitado de cosas para ser felices. Y es obligación de los padres ayudar a que el niño base su mundo en valores sólidos y no en la compra del último videojuego o de un nuevo juguete. La inversión, cuando el niño es pequeño, produce más tarde enormes dividendos en la vida.

Juguetes olvidados

Los niños olvidan rápidamente y también pierden el interés por los juguetes. Es importante clasificarlos de vez en cuando, a medias con tus hijos, para descartar todos aquellos que ya no les interesan, con los que ya no juegan o que están rotos. No lo hagas tú solo. Que los niños contribuyan a decidir qué pueden quedarse y qué no.

Agrupa los juguetes en montones según su tipo, la edad para la que son apropiados o el tiempo que el niño los ha tenido. Esto ayudará a tus hijos a verlos como entes distintos y hará la tarea más manejable. Poneos de acuerdo sobre la cantidad de juguetes que es razonable conservar, dándole prioridad al espacio, y trabajad juntos para conseguir el objetivo.

Sé paciente. Desprenderse de las cosas que traen recuerdos puede ser duro. ¡Todos lo sabemos! Lo mejor es realizar la criba justo antes de un cumpleaños o de las vacaciones, cuando los niños están ansiando nuevos juguetes.

Hábitos con los juguetes

Al igual que los límites son importantes para ayudar a que los propios niños controlen la acumulación excesiva y el desorden, también lo son los hábitos. Además de quedarse con una cantidad de juguetes razonable y manejable, los niños necesitan habituarse a ordenar ellos mismos. Al final de una sesión de juegos o al acabar el día los juguetes deben volver a sus cajones. Si esto te parece utópico, recuerda la imagen de la vida que quieres. Si prefieres pasarte la vida recogiendo juguetes detrás de tus hijos, por ahí empezarás. ¡Tú eliges!

LECCIONES QUE SE APRENDEN DE SEGUIR UN HÁBITO CON LOS JUGUETES

La actividad diaria de recoger los juguetes enseña al niño:

- La importancia de la responsabilidad personal.
- Los fundamentos de ser ordenado.
- Los conceptos de horario y programación.
- A participar como un miembro más de la familia.
- A ayudar con tareas sencillas que van aumentando a medida que el niño madura.

No es extraño que en la mayoría de los problemas de desorden con los que suelo tratar haya involucrados adultos que no tienen asumidos los límites o los hábitos, así que mal pueden inculcárselos a sus hijos. ¿Quién puede culparlos? De niños nunca aprendieron estos conceptos de sus propios padres.

Ropa y complementos que se quedan pequeños

No sólo hacen falta unos padres para criar a un niño. Aparentemente —por lo menos en Estados Unidos— son necesarios unos cuantos mayoristas, un cierto número de guías de compras, una lista detallada de los últimos accesorios, unas cuantas rebajas semanales, un montón de anuncios de radio y de televisión y un diseñador de ropa de moda... todo lo cual hace aumentar un montón las pertenencias de tus hijos. Además de juguetes tenemos que hacer frente a las necesidades esenciales de un niño pequeño: la cuna, el cochecito, la sillita para el coche, el columpio, las bandoleras, la trona, etc. «¡Crecen tan deprisa!» Esta frase no sólo significa que debemos atesorar los momentos que pasamos con nuestros hijos, sino que el abriguito del invierno pasado ya no le cabrá este año, y que la sillita que tan útil fue el año pasado, ahora ocupa un espacio innecesario. Cuando combinas ese rápido crecimiento con las modas que vienen y van, tienes el caldo de cultivo ideal para que en tu hogar entre una tonelada de cosas que no necesariamente saldrán. Es imprescindible que adoptes un sistema para tratar con ese flujo constante de ropa y parafernalia infantil.

Como espero que hayas comprendido a estas alturas, la única respuesta para controlar el flujo de entrada es crear un flujo de salida. No guardes todo lo que entra únicamente porque sea bonito, caro o tenga un valor sentimental. Encuentra un amigo o una organización benéfica que te libere cada seis meses de esa acumulación. Habla con otros padres de la guardería o del colegio de tu hijo, busca formas creativas de pasar esos objetos y prendas usadas a otros que los valoren y los utilicen. Harás a otro niño muy feliz y salvarás el presupuesto de algún otro padre.

ENSEÑANDO A TU HIJO A SER GENEROSO

Si librarnos de las que tiempo atrás fueron preciadas posesiones es algo nuevo y difícil para tu hijo, prueba lo siguiente:

- **Llévalo a conocer las organizaciones benéficas.** Enséñale quién recibirá sus juguetes. Antes de donar nada, ve con él a un centro benéfico o a un refugio de indigentes y muéstrale a tu hijo que todas sus cosas usadas serán aprovechadas por alguien que las necesita más que él.

- **Predica con el ejemplo.** Antes de pedirle a tu hijo que done algo, involúcralo en tu propia donación. Deja que te ayude a separar la ropa que no te pones nunca. Muéstrale lo feliz que te sientes encontrando un «buen hogar» para las cosas que una vez amaste. Pregúntale si a él también le gustaría contribuir.

- **Educación situacional.** Cuando ocurran ciertas catástrofes en el mundo y en tu vida, sean grandes o pequeñas, aprovecha el momento para enseñarle a tu hijo a donar cosas. O si os cruzáis con un indigente por la calle, explícale que algunas personas tienen una vida más difícil que la vuestra y que se las puede ayudar.

- **Donación de cumpleaños.** El cumpleaños de un niño es un gran momento para compensar el flujo de regalos que recibe con alguna donación. Es fácil que acepte desprenderse de los regalos repetidos y le ayuda a acostumbrarse a la idea de dar. También es un buen momento para realizar una criba de juguetes viejos y ropa: «Ahora que eres una niña mayor, veamos lo que se te ha quedado pequeño.»

ARTE Y TRABAJOS ESCOLARES... GUARDAR O NO GUARDAR

Hablaba hace poco con un grupo numeroso sobre el desorden y la organización. Un hombre del público tenía dos gemelos de veinticuatro años que iban a la universidad. Gran parte de la incomodidad de su esposa se debía a que él guardaba todos los trabajos escolares que sus hijos habían realizado desde preescolar: exámenes, deberes, proyectos, notas... ¡todo! Una vez lleno el sótano hasta los topes, los papeles habían ido subiendo por las escaleras y ya inundaban toda la casa. Cuando le pregunté por qué se sentía obligado a guardar todos y cada uno de los trabajos de sus hijos, el hombre me respondió que porque ellos querrían tenerlos algún día. Para su horror, le pedí el teléfono móvil y llamé a uno de los chicos en aquel mismo instante. Cuando le conté el razonamiento de su padre, el muchacho dijo: «Déjeme que le diga algo sobre mi padre... ¡lo quiero, pero está loco!» ¡Ni siquiera papá pudo evitar la carcajada por ese espontáneo pero muy acertado juicio!

Cuando se trata de los cuadernos, dibujos y deberes de los niños, se hace difícil saber si los padres lo guardan todo por los niños o por sí mismos. He oído todas las excusas. «Nunca tuve mis propios recuerdos escolares.» «Algún día los querrán.» «Es tan bueno, que no puedo tirarlo.» «Si no lo guardase, se ofendería.» No uses a tus hijos como escudo para ocultar la verdadera razón por la que no quieres tirar todas esas cosas, ha llegado el momento de afrontar la realidad. Aunque tiene sentido guardar las mejores obras de tus hijos, ¿no es posible que todo lo que estás guardando represente más para ti mismo que para ellos? ¿O es que no puedes prescindir del recuerdo de los logros de tu hijo? Ambas posibilidades son legítimas pero, en definitiva, no importa si lo haces por una razón o por otra porque una cosa es segura... ¡no puedes guardarlo todo, y además no deberías hacerlo!

Arte

Adrienne es una artista sorprendente, también una ávida lectora: le encanta coleccionar cosas y prensar flores, escribir historias mágicas y le resulta imposible desprenderse de cualquier obra de arte pintada o simplemente dibujada. Adrienne sólo tiene seis añitos y su habitación ya está atestada de cajas llenas de sus cosas. Hablando con Adrienne se nota en seguida que se siente inmensamente orgullosa de lo que crea y colecciona, y también que tiene miedo de perderlo. Organizando su espacio, colgando marcos en las paredes para que pueda exponer sus trabajos y cambiarlos fácilmente de lugar, colocando sus colecciones en estantes y ayudándola a crear una «biblioteca de préstamos» para sus cuentos, Adrienne aprendió a poner límites y quedarse sólo con lo que más le gustaba, en función del espacio que habíamos creado para cada cosa. Conseguirlo fue todo un reto para ella, pero, cuando acabamos, admitió sentirse orgullosa de lo que colgaba de las paredes y, sobre todo, de haber rescatado espacio para seguir creando más cosas. Tener sus primeros dibujos colgados y expuestos le hizo literalmente ver la luz y disminuyó el temor de Adrienne a la pérdida.

No existe el bloqueo del artista en preescolar, ni en el parvulario, ni siquiera en la escuela elemental. Digamos que tu hijo crea una obra maestra diaria, trescientas al año, lo que lo convierte en un artista más prolífico que Picasso. No soy insensible, pero ambos sabemos que no hay forma de guardar todos y cada uno de sus garabatos. ¿Cómo elegir entre ellos?

¿Cómo hacer que tu hijo prescinda de una parte de su obra, que tú tanto le has alabado?

La respuesta es celebrar un ritual, no hacer una criba. Ve colocando los dibujos de tu hijo en una carpeta. Al final de cada semestre, dile que ha llegado la hora de escoger lo mejor de lo mejor. Revísalo todo y elige un dibujo para enmarcar, y tres o cuatro para la posteridad. El resto puede ser fotografiado y descartado. Usa marcos que te permitan cambiar fácilmente las obras maestras de tu niño prodigio. Esta estrategia te permitirá conservar obras de arte que tu hijo valore y ame. También le dará la oportunidad de aprender a decidir qué conservar y de qué prescindir, una lección valiosa en la vida y un verdadero escollo para mucha gente que lucha con su desorden.

En cambio, el arte tridimensional es más problemático. ¿Qué hacer con los volcanes o los amorfos pisapapeles de plastilina? Que perduren una temporada, hasta que la excitación de la creatividad desaparezca y, después, decide si merece la pena exhibirlos o si sólo son una «experiencia de aprendizaje». Si tu hijo o tú queréis conservar de verdad la pieza, aseguraos que sea bien visible y esté protegida del polvo y de los golpes.

Trabajos escolares

Ahora ya tienes práctica. Como al arte, debes ponerles límite. ¿Por quién guardas esos trabajos escolares? ¿Por tu hijo o por ti? Dedica un cajón, una carpeta o una estantería a lo que quieras conservar. Su tamaño marca el límite de lo que puedes guardar. Una vez lleno ese espacio, tienes que descartar una cosa para añadir otra. Una dentro, una fuera... una estrategia simple, pero efectiva.

SÉ REALISTA: ABUELOS Y JUGUETES

Cuando los abuelos nos visitan, a menudo quieren lograr el efecto Papá Noel. Llegan cargados de juguetes, deseando mimar y encandilar a sus adorados nietos. Es difícil decir que no, pero puedes hacerles algunas sugerencias para que los regalos sean un poco más prácticos.

- Crea una cuenta para la universidad a la que puedan contribuir.
- Crea un fondo de viajes con el que, cuando tu hijo cumpla los dieciséis, pueda costearse un viaje con sus abuelos.
- Sugiéreles los juguetes concretos que pueden comprar a tus hijos, juguetes que cumplirán una función real en su desarrollo.
- Sugiéreles formas de demostrar su amor mediante vivencias compartidas y no con cosas materiales. Recuérdale a tu hija que compartir una experiencia con sus abuelos puede ser tan divertido y excitante como recibir cosas. No recordará su muñeca mucho tiempo, pero aprender a valorar las nuevas experiencias le será útil toda la vida.
- Que lleven a los chicos a un espectáculo. Aficiónalos a los musicales, al ballet o al teatro.
- Pídeles que traigan ingredientes para elaborar la receta favorita de la familia y que cocinen con los niños.

Cuando tengas que ordenar las pertenencias de tus hijos atente a límites y hábitos. Estas simples estrategias os ayudarán a ti y a tus hijos a valorar lo que tenéis. Te ayudarán a enseñarles a tus hijos a tener más en cuenta el valor de sus cosas y lo importante que es ese valor. No puedes conservarlo todo, pero lo que conserves serán recuerdos importantes y valiosos, que ellos y tú atesoraréis.

HABITACIÓN 3

SALÓN Y SALA DE ESTAR

Uno ambas habitaciones porque los salones para recibir tienden a estar libres de trastos... y si no es así es porque están funcionando como sala de estar.

Ah, la sala de estar. Lo es todo: un lugar para ver la tele, para jugar, para hacer el trabajo casero, pagar facturas, leer revistas, matar el tiempo y entretenerse. No hay otro lugar de la casa en el que las distintas ideas y visiones que la gente tiene sobre el espacio común choquen tanto como en la sala de estar. El problema es que al ser todo para todos, puede terminar fácilmente sin ser nada para nadie, convertida en el centro de la acumulación, el desorden y la desorganización de la familia.

Hablando sobre lo que los miembros de la familia quieren y esperan de este espacio, puedes darle un propósito específico a la habitación para todo y redefinir a tu familia y la forma en que ésta utiliza ese espacio común.

PIENSA GLOBALMENTE

La sala de estar es sólo eso, una habitación que comparte y disfruta toda la familia, así que asegúrate de que logras un consenso respecto a lo que corresponde al espacio de que dispones. Más importante todavía, no sobrecargues esa habitación de funciones. Mientras el espacio lo permita, la sala puede servir para un número razonable de funciones pero, si le exiges demasiado, corres el riesgo de convertirla en la habitación «para todo» de toda la familia... ¡en otras palabras, la central del desorden!

MARCO DE ACTUACIÓN

- Remítete a tu Tabla de la Función de cada Habitación, consensuada por todos.
- Delimita zonas para las diferentes actividades que realizas en la sala de estar.
- Deduce lo que no encaja en ella.

MANOS A LA OBRA

Delimita las zonas

Gary y Marie tienen tres hijos pequeños y viven en una casa de 200 m². La primera vez que vi su salón era un batiburrillo de todo lo que puedas imaginar: ropa, libros, correo, juguetes, material para manualidades, incluso dos enormes montones de novelas románticas que Marie había heredado de su abuela. Una vez entraba algo en esa habitación, jamás volvía a salir. Cuando Marie tenía ocho años, sus padres viajaban por todo el país y no permitían que ella ni sus hermanos y hermanas cargaran con la mayoría de sus juguetes y sus objetos personales. Este trauma de la infancia era el motivo principal que le impedía desprenderse de nada que entrase en su casa: no quería que sus hijos vivieran la misma sensación. Pero Marie tenía que reconocer que aquella reacción extrema también afectaba a sus hijos; el caos y el desorden nunca son la respuesta adecuada al trauma de la pérdida. Sólo cuando se enfrentó al hábito que estaba inculcando en sus propios hijos fue capaz de empezar a librarse de ese caos.

¡La mayor tentación en una sala de estar es llenarla hasta los topes! Es una pena porque, de todas las habitaciones de la casa, normalmente es ésta donde todo el mundo intenta pasar el rato y relajarse. No hay duda: mirar la televisión, ver películas o jugar con videojuegos son pasatiempos mayoritarios, y normalmente se llevan a cabo en el salón.

Resiste la tentación de sobrecargar este cuarto, recuerda que lo importante es relajarse y entretenerse. Toda la familia se reúne en el salón, así que descubre cuál es el entretenimiento preferido de cada cual. ¿Qué utilizas realmente en ese espacio para divertirte y relajarte? Una vez hayas definido todas las posibles ideas de entretenimiento, identifica lo que sobra. ¿Qué queda en la habitación con lo que nadie juega, que nadie mira, escucha o usa? Pues eso tiene que ir fuera.

Agrupa las cosas en zonas específicas. Todos los CDs y los DVDs deberían estar cerca del televisor y del equipo de música; las revistas en un estante cercano a tu silla o sillón favoritos; todos los aparatos electrónicos en un solo armarito o en un estante; los juegos de mesa en cajas, al lado o debajo de la mesa de café donde sueles jugar con ellos.

Si hay algo que no utilices regularmente en este cuarto, descártalo. Esta habitación es para vivir y demasiadas cosas sólo crearán una sensación aplastante e incómoda.

Doble función

Al igual que ocurre con el dormitorio principal, los salones sirven en ocasiones para una segunda función. No sólo son una habitación comodín, también son muy a menudo un despacho o un dormitorio para invitados. Yo no permito la doble función en el sagrado dormitorio principal (sería muy extraño que se convirtiera en cuarto de invitados), pero en el caso del salón puede tener cierto sentido si sigues una simple regla: la función añadida tiene que ocupar una zona, tiene que estar restringida a un espacio determinado. El exceso no está permitido.

Entretenimiento

Como la mayoría de salones se usan principalmente para ver la tele y relajarse, los vídeos, DVDs, CDs, consolas de videojuegos, cartuchos de juegos y libros tienden a ocupar una enorme cantidad de espacio.

Asegúrate de que todo eso ocupa una zona bien definida. Ordena tus DVDs por géneros o categorías para encontrar todas las películas fácilmente y, lo que es más importante, vuélvelas a guardar de la misma forma. Etiqueta con claridad los estantes o las cajas donde las almacenas para que todo el mundo sepa a qué lugar devolver el DVD que ha utilizado. Revisa tu colección de DVDs y líbrate de aquellos que no te han gustado o que sabes que nunca volverás a ver... puede que te sorprenda descubrir lo que han cambiado tus gustos. En cuanto a los vídeos de los niños, críbalos con más frecuencia todavía; no hay razón para guardar todas esas cintas de *Barrio Sésamo* ahora que tu hijo ya ha cumplido diez años.

También te sorprenderás de lo accesible que es tu colección de música o de películas cuando esté organizada. Poder encontrar fácil y rápidamente un título concreto te dará ganas de ver las películas y escuchar los discos, y no te frustrarás intentando localizar algo que sabes que tienes pero que no puedes encontrar.

La regla de la proporción

Si te es difícil elegir por dónde empezar, intenta aplicar la regla de la proporción para desprenderte del exceso de películas. Por cada cuatro vídeos o DVDs que conserves, elimina uno de tu colección. Dónalos a una organización benéfica o regálaselos a un amigo o un familiar que sepas que los disfrutará. Eso sí, fija una fecha límite para deshacerte de ellos. Al final de esta criba, si las películas siguen sin caber en la estantería, vuelve a empezar. Intenta rebajar la proporción a tres por uno o, si te sientes especialmente valiente, a dos por uno. Reta al resto de miembros de la familia a igualar o superar el número de títulos que estás descartando. Repite el proceso hasta que las películas que quedan quepan cómodamente en tu estantería con algo de espacio libre para nuevas adquisiciones.

En el futuro será importante que mantengas tu colección dentro de los límites del espacio de que dispones: cuando compres una película, saca otra de tu colección. Plantéate tener una caja con «lo más visto» o «novedades», que contenga unos diez DVDs, los que más ves. Te ahorrarás tiempo y esfuerzo encontrando las películas y volviéndolas a guardar. Si siempre tienes ahí unas diez películas, no compres otra hasta que hayas archivado una de las de esa caja. La misma regla es aplicable a otros productos audiovisuales. Demuestra lo que te gustan las películas, los libros o los discos tratándolos con el cariño y el respeto que se merecen, y crea un espacio para disfrutarlos adecuadamente.

Cámbiate a lo digital

Tómate tiempo para ordenar todos tus CDs. Escoge un sistema que te funcione: alfabéticamente, por géneros o por el tipo de música que más te guste, y aprovecha la oportunidad para cribar los que ya no te gustan o no escuchas. Dónalos o regálaselos a alguien que baile música disco en paños menores cuando está a solas, o véndeselos a una tienda de segunda mano.

Si tienes ordenador, piensa en utilizar un *software* como iTunes para escuchar música desde tu equipo de sobremesa o tu portátil. El Windows Media Center es también una buena forma de agrupar toda tu música en un solo lugar. Con un *hardware* fácil de instalar, puedes escuchar tu música favorita en casa sin depender de cables. (No obstante, como harías con cualquier archivo informático, asegúrate de realizar regularmente *backups* por si tu sistema se estropea.) ¡Listo!, ya puedes tirar todos esos CDs y usar el espacio para algo que no se almacene tan eficientemente.

Si no estás preparado para pasarte a lo digital, pon tus CDs en archivadores que los protejan. Descarta las cajas de las ediciones especiales y descubre el mucho espacio que te has ahorrado.

Libros y revistas

Los libros y las revistas forman casi siempre parte de los problemas de acumulación y desorden en las casas que visito. Recuerdo una familia con la que trabajé en Florida, cuyo padre era un entusiasta de los coches. Adoraba todo lo que tenía que ver con ellos y tenía guardados quince años de números atrasados de por lo menos tres revistas especializadas. Admitió abiertamente que no había leído muchas de aquellas revistas y que a las que había leído nunca les había echado un segundo vistazo. Pero tenerlas en casa reforzaba su sentimiento de ser un «fanático de los coches». Suele suceder lo mismo con los libros. Tener libros en casa da a su propietario una sensación de identidad y seguridad, una motivación a la que debemos enfrentarnos antes de ocuparnos de la acumulación.

Cuando encuentro a una persona que lucha con demasiados libros o revistas, sea en su casa o en la oficina, tengo para ella otra de esas preguntas sencillas que me caracterizan: ¿qué estabas comprando realmente cuando adquiriste todo esa lectura? Puede parecer una pregunta extraña, pero la respuesta es muy reveladora.

Hay gente que, cuando compra un libro, lo compra por el placer de la lectura, bien sea por el tema o por recomendación de un familiar, un amigo o un crítico. Esa gente, por regla general, es capaz de leer un libro, digerir la información y utilizarla del modo que considere adecuado. Una vez leído y comprendido el libro, tiende a no sentirse ligada emocionalmente a él.

Existe un segundo grupo formado por quienes obtienen una fuerte sensación de seguridad y satisfacción sabiendo que son poseedores de ese libro. En algunos casos, sienten que poseer el libro es equivalente a poseer también el conocimiento del libro. Para esos individuos, librarse de un libro equivale a despreciar ese conocimiento... No importa que lo hayan leído o no, no importa que les haya interesado o no.

Hace un par de años, estaba trabajando con una mujer que tenía muchos libros en su hogar, posiblemente unos cinco o seis mil títulos. Los libros llenaban cada estantería y cada superficie plana de su casa, incluido, por supuesto, el suelo. Por término medio, compraba tres o cuatro libros cada semana, seguramente más de los que podía leer. Cuando intenté decirle que tenía que desprenderse de algunos libros, se puso muy nerviosa y, a su debido tiempo, admitió por qué razón: «No quiero que nadie tenga toda la información que he reunido. La he coleccionado yo, he pagado por ella y es mía. ¿Por qué debería renunciar a ella?»

Es importante que reconozcas esta actitud mental si tienes que reducir el número de los libros de tu casa. Los libros representan cosas diferentes para diferentes personas. Para unos significan iluminación, para otros una fuente de conocimiento y aprendizaje y, para algunos, son recordatorios de momentos importantes o de éxitos académicos. No obstante, cuando compras un libro, no adquieres automáticamente la sabiduría que contiene, lo único que has adquirido son palabras impresas en papel. Es cosa tuya interiorizar cualquier iluminación que el libro pueda ofrecer. Si no comprendes plenamente esto, será casi imposible que te separes de uno solo de esos libros.

Tu espacio dicta cuántos libros puedes tener

Al principio de *David Copperfield*, de Charles Dickens, uno de los protagonistas comenta: «Si un hombre tiene una renta anual de veinte libras y gasta diecinueve libras, diecinueve chelines y medio penique, es feliz; pero si gasta veintiuna libras, es muy desgraciado.» El personaje, el señor Micawber, está instruyendo al joven Copperfield para que sea solvente y no se meta en líos. Es una buena lección.

Sólo existe una regla para encargarse de los libros: si no te caben en las estanterías, no deberías tenerlos. ¿Recuerdas cómo aprendimos a «hacer cuentas» en el Paso 2 (ver p. 113)? Tomando prestada la idea de Dickens, si hay espacio para 100 libros y tienes 99, ningún problema; si hay espacio para 100 libros y tienes 102, problema a la vista. ¡Es así de simple!

No deberías tener libros que no quepan cómodamente en tus estanterías, amontonados en el suelo, sobre el televisor, el equipo de música o en cajas en el garaje. Si tus libros no caben en las estanterías es que tienes demasiados y necesitas más estantes o menos libros. Seguramente no te sorprenderá que mi recomendación sea que no compres más estanterías.

Puede que opines que reducir el número de libros es más fácil de decir que de hacer. Me han acusado de decirle a la gente que «se libre de sus libros», una acusación muy seria. ¡Como si recomendase que los quemaran! Repito, vuelven a ser una cuestión de respeto: alguien ha trabajado mucho y muy duramente para hacer realidad cada libro que posees. Si valoras los libros, trátalos como se merecen: si no, pregúntate por qué te aferras a ellos. ¿Por qué empeñarse en sentirse ahogado en una habitación atestada de libros polvorientos? Intenta ver la criba de libros como la forma de crear espacio para la lectura y la adquisición de conocimientos. Encuentra la forma de exponer los volúmenes que adoras haciendo honor a la colección que tienes.

Recuerda la regla de la proporción

Aplica la misma regla de la proporción que utilizaste con tu colección de películas. Por cada cuatro o cinco libros que desees conservar, elimina uno de tu biblioteca. Recicla los libros viejos o dónalos a una biblioteca. Repite el proceso hasta que todos los libros quepan en tus estanterías holgadamente. A partir de ahora, cuando compres un libro, tendrás que sacar otro de tu colección.

Más sobre las revistas

¿Puedes creer que se imprimen más de 22.000 títulos sólo en Estados Unidos? Yo sí, porque he estado en muchos hogares donde se apilan en el salón tres años de números atrasados de cada una de esas veintidós mil revistas. Bueno, al menos me lo parecía. ¿Te gustan los ordenadores? Puedes elegir entre casi quinientas revistas de informática. ¿Interesado en la salud y el *fitness*? Tienes trescientos cincuenta títulos para escoger. Y si quieres sentarte a pensar en el significado de todo esto, hay una docena de revistas de filosofía.

Las suscripciones

No deberías estar suscrito a más de tres revistas mensuales. Puede parecer exagerado, pero no conozco a nadie capaz de absorber la cantidad de material de lectura que aportan tres suscripciones mensuales si tiene un ritmo de trabajo, una familia, lee el periódico a diario, ve la televisión, escucha la radio... ¡y vive! Si alguna de tus revistas preferidas es semanal, más difícil todavía. ¿Cuántas revistas eres capaz de aprovechar cada mes? Olvídate del resto. No dejes que tu vida sea una pobre imitación de lo que ves en esas portadas brillantes. Libérate y sé tú el protagonista.

La acumulación

Aunque canceles alguna suscripción, las revistas siguen entrando en casa, ¿verdad? No te digas que ya lo solucionarás algún día, guarda un par de números de cada revista. ¡Si te has atrasado más de dos números en la lectura de alguna, no intentes recuperar el tiempo perdido! Aunque consiguieras hacerlo, ¿quién quiere leer o comentar noticias de hace dos meses?

Es así de simple: cuando llegue el tercer ejemplar de una revista, deshazte del más antiguo. Esta disciplina te ayudará a mantener estable la cantidad de revistas que conservas en casa y a controlar el número de ejemplares atrasados que, de otra manera, te quitarían espacio.

No guardes catálogos

Cuando recibes un catálogo interesante por correo, hojéalo inmediatamente. Pide lo que necesites y recicla el catálogo. Si no eres capaz de decidirte sobre un artículo en particular, no lo compres ahora y deshazte del catálogo; si realmente estás interesado en ese artículo, ve a la página web de la compañía y pídelo. Pero, aunque no llegues tan lejos, créeme, otro catálogo idéntico está a punto de llegar. No perderás tu oportunidad.

Impón orden

Mantén las revistas en un lugar concreto —un estante, una caja o una mesa de café—, para localizarlas fácilmente y que no se desparramen por toda la casa. Ordenar las revistas por títulos en un montón, sobre la mesa, no sólo sugiere orden y calma, sino que te ayuda a saber fácilmente lo que te queda por leer. Ordena lo que lees y descubrirás que puedes encontrar más información más rápidamente que nunca.

EXCUSAS PARA CONSERVAR LAS REVISTAS

No intentes decirme que necesitas guardar esa revista. Ya he oído toda clase de excusas:

- «Es que se trata de la mejor receta de pavo relleno que

he visto nunca. ¡Martha es genial! La utilizaré el Día de Acción de Gracias de este año.»

- «Pienso construir esta mesa en el patio trasero la primavera que viene.»
- «Johnny tendrá que hacer algún día un trabajo escolar sobre África. ¡Necesito estos ejemplares de *National Geographic*!»
- «Algún día iremos al sur de California. ¡Necesito esta lista de hoteles baratos!»

Si necesitas imperiosamente un artículo, arráncalo y guárdalo en una carpeta; pero no arranques más de los que te caben en la carpeta o en el álbum de recortes (veinte artículos como máximo). Cuando tengas esos veinte, no añadas ninguno hasta que hayas tirado otro. Límites y hábito eso no falla.

Colecciones

He perdido la cuenta de las veces que alguien me ha mirado a los ojos y me ha dicho: «¡No podemos deshacernos de eso, son mis colecciones!» No estoy seguro cuándo caímos en la trampa de creer que las copas de fútbol de plástico o los muñecos cabezones —los *bobble heads*— de jugadores de baloncesto, fabricados por millones, son objetos de colección. Los fabricantes de tonterías se han apropiado de la palabra «coleccionable». La gente utiliza la palabra «coleccionable» para tener la excusa de comprar todo lo que se le antoja. Mi postura es simple: llamar a un conjunto de cosas «colección» no les da automáticamente valor ni es razón para guardarlas eternamente.

La línea entre un objeto coleccionable y un trasto es finísima. La última vez que entré en eBay tenían un millón y medio de artículos en venta, y eso únicamente en su sección de «colecciones» ¡Un millón y medio! Tú lo llamarás coleccionable, yo apenas lo llamo comprable. No me malinterpretes, estoy seguro de que existe una enorme demanda para un tucán Goebel (una figurita de porcelana alemana) «raro», o una figurita de un ave tropical «firmada». Pero, ¿qué es en realidad un «objeto de colección»? Si aseguras que tienes una colección pero está llena de polvo y metida en una bolsa de basura que has dejado al fondo del armario o en una caja empapada de agua en el garaje... entonces, me cuesta creer que sea importante para ti.

Constantemente oigo: «¡Seguro que algún día valdrá un montón de dinero!» Es posible, pero puede que no. Muchos fabricantes de objetos «coleccionables» pretenden convencerte de que, en algún momento futuro, podrás sacar dinero de ellos. No es una compra, es una inversión. Recientemente, en el departamento financiero de una universidad muy conocida de Tejas, recibieron una caja bastante grande. Contenía unos cien muñequitos Beanie Babies y una carta que decía: «Mi esposa empezó a coleccionar Beanie Babies en los años ochenta. Le dijeron que con los beneficios que obtendría por la colección, algún día podría enviar a nuestro hijo a la universidad. Por favor, acepten esta caja como parte del pago por la matrícula de mi hijo.» No todas las inversiones dan dividendos.

¿Vale realmente la pena que conserves tu colección si la familia no puede sentarse en el salón porque todas las sillas están llenas de Beanie Babies? Recuerda: la forma de conservar y exhibir tu colección es tan importante como la colección en sí. Los coleccionables son estimados, no tanto por lo que cuestan o de quién son como por el placer, la alegría y el valor que para ti tienen. Mentalmente puedes ser un coleccionista, pero en realidad eres un acaparador.

SÉ REALISTA: LAS COLECCIONES

Es una colección si:

- La exhibes de forma que te hace sentirte orgulloso y que demuestra que la cuidas y la valoras.
- Al mirarla te proporciona placer.
- Disfrutas enseñándosela a los demás.
- No es una obsesión que está perjudicando tus relaciones.
- No está enterrada bajo otros trastos.
- No se interpone en el camino de la vida que deseas.

No busques excusas para conservar tus colecciones. No te quedes con cosas que no aprecias con la esperanza de que algún día aumentarán de valor. Algunas lo hacen; otras (generalmente las de objetos fabricados por millones) no. Escoge tus colecciones sabiamente. O, mejor todavía, «colecciona» monedas... en una cuenta bancaria. ¡Es una forma mucho más inteligente de poder enviar a tu hijo a la universidad!

Por encima de todo, si tienes una colección de objetos, asegúrate de que contribuye a tu felicidad. Si realmente tiene significado para ti, deberías exponerla y cuidarla.

SÉ REALISTA: eBAY

Más que un mercado de cosas de segunda mano, eBay es una de las mejores soluciones cuando tienes problemas para librarte de algo porque crees que vale mucho dinero. Si entras en eBay te enterarás del valor de mercado exacto de tus posesiones. Si esa «valiosa» figurita que heredaste de tu abuela la venden en eBay por menos de diez euros es hora de que despiertes y te espabiles.

PARA TU INFORMACIÓN: INTERMEDIARIOS DE VENTAS

Existen compañías que venderán tus cosas en eBay por ti. Se llaman intermediarios de ventas y puedes encontrarlas en *www.ebay.com/ta*. Si no se te da bien la tecnología o no tienes tiempo para vender tus cosas en eBay, vale la pena pagarles una comisión a estos chicos y que lo hagan por ti. Se llevan tus cosas (¡adiós!), las fotografían y las venden en la red, las envían y te mandan un cheque por su importe tras descontar su comisión. Se acabaron las cajas y los materiales para hacer paquetes esperando una oferta en eBay que nunca llega. No importa lo poco que te aporte la venta de tus trastos, es dinero que antes no tenías y con el que no contabas: el azúcar del pastel de tu nueva vida libre de trastos.

Artículos de valor sentimental

Las cosas que poseemos tienen un increíble poder para hacernos recordar, para hacernos revivir un momento de un pasado lejano o despertar en nosotros emociones de otros tiempos. A menudo conservamos objetos porque conllevan recuerdos muy fuertes. Cuando tenemos problemas para separarnos de un objeto, normalmente es ese recuerdo, más que el objeto en sí, lo que tememos perder. Puede que no seas capaz de expresar ese miedo, pero en el fondo sabes el enorme poder que tiene ese objeto sobre ti. Es una situación muy habitual. Cuando la acumulación es sentimental, necesitas hacer dos cosas: primero separar el recuerdo del objeto y, segundo, conservar el recuerdo de una forma respetuosa. Este proceso quita poder al objeto de una forma realmente liberadora y te permite vivir sin la sensación de temor o preocupación por una futura pérdida.

Darlene, la madre de tres hijos de cinco, ocho y doce años, todavía tenía la cuna de sus hijos en el dormitorio principal. Era incapaz de prescindir de ella porque le traía muchos recuerdos maravillosos. Así que la ayudé a cambiar de actitud hacia la cuna.

Primer paso: hablamos de sus hijos y de cómo sus mejores recuerdos no tenían por qué limitarse al pasado. Todos ellos tenían por delante grandes cosas. Habría nuevos recuerdos de cumpleaños, pubertad, graduación y transformación. Cuando captó la idea, le fue fácil desmarcarse de ese pasado. Fue capaz de mirar hacia delante, hacia un excitante futuro de nuevos recuerdos y experiencias con sus hijos.

Segundo paso: hablamos de lo que podía hacer con la cuna. Resultó que tenía una vecina que iba a adoptar un niño chino. Cuando Darlene le ofreció la cuna a su vecina, ésta la aceptó gustosa y prometió darle a Darlene una foto de su hijo adoptivo en la cuna. Darlene encontró una nueva fuente de placer: saber que su cuna estaría en un buen hogar, que se le daría un uso adecuado y que sería valorada por alguien que también estaba formando una familia.

Querido Peter:

Cuando murió mi abuela, mi madre me envió toda su vajilla de porcelana china. Llegó cuidadosamente embalada en seis enormes cajas, pero sabía que nunca la usaría (nos encanta la que nos regalaron cuando nos casamos), así que la dejé en el garaje, sin desembalar, esperando nuestro próximo traslado. Cuando por fin la desempaqueté —ocupaba mucho espacio—, la coloqué en una vitrina del comedor pero seguí sin usarla. Cada vez que la miraba lamentaba el espacio que ocupaba... ¡pero era la porcelana china de mi abuela! Al final, llamé a mi madre y le dije que no me gustaba y que no quería conservarla. Para mi sorpresa, mi madre tampoco la quería. Llamé a un agente de ventas de eBay, que me dijo que no era lo bastante valiosa para venderla. ¡La amada porcelana china de mi abuela no valía nada! La miré y me imaginé mi vida sin ella; no cambiaría en absoluto. La llevé directamente a Goodwill y no volví la vista atrás. Sólo me dije lo que te había oído decir a ti un millón de veces: la cosa no es la persona. La vajilla no era mi abuela ni su recuerdo, sólo porcelana china, vieja y barata.

Recuerda pero no guardes

¿Cómo puedes librarte de un objeto físico y seguir honrando su recuerdo?

Recuerdos textiles. ¿Tienes problemas para desprenderte del vestido de novia de tu abuela o del uniforme de tu abuelo carcomido por las polillas? Corta un trozo de tela y enmárcalo con una foto de tus abuelos con esas prendas. Escribe una nota en recuerdo de ellos para incluir en el cuadro.

Fotos familiares. Afróntalo, a nadie le gusta pasarse horas viendo tus fotos familiares. Todos hacemos fotos pero pocos somos fotógrafos. Tienes suerte si una décima parte son fotos con un mínimo de calidad. Esto es lo que debes hacer: toma un bonito álbum de fotos y de cada evento —bodas, reuniones familiares, escapadas de fin de semana—, tomas la mejor foto y la pones en el álbum. Al lado, en una hoja de papel, escribe un párrafo sobre el evento. Coloca el álbum en un lugar visible y destacado de tu hogar. Ese álbum se convertirá en una colección de grandes éxitos, en una cronología comentada de eventos importantes. Mirar un álbum así es un placer, tanto para tus visitas como para ti. Y si puedes pasarte a lo digital, hazlo sin pensártelo, por supuesto. Verás rápidamente lo poco que miras tus fotos incluso si las tienes en el ordenador donde apenas ocupan espacio.

Fotos de niños y álbumes de dibujos de los niños. Escoge unos cuantos marcos fáciles de manipular, cuélgalos en un lugar destacado de tu hogar y llénalos con tus fotos o dibujos favoritos. Cada pocos meses cambia una foto o un dibujo y pasa la imagen retirada a un álbum. Puedes hacer lo mismo deslizando fotos bajo el cristal de tu escritorio.

Cualquiera de lo anterior. Reúne todos los objetos que quieres conservar por los recuerdos que te traen —pero que nunca piensas utilizar—, coloca una cámara de vídeo en un trípode y fílmalos uno a uno mientras hablas a la cámara. Cuando tus hijos sean mayores puedes ofrecerles ese vídeo-diario como una muestra de lo más importante: los recuerdos, no las cosas.

SÉ REALISTA: MÁS ESTRATEGIAS PARA LIBRARTE DE LA ACUMULACIÓN Y EL DESORDEN RESPETANDO LOS RECUERDOS

- Habla sobre el objeto —sin tocarlo— y narra el recuerdo más memorable relacionado con él. Celebra el recuerdo que trae el objeto.
- Toma una foto del objeto (o un retal de tejido, dado el caso) y colócalo en un álbum de recortes con una breve historia de ese objeto o la narración del recuerdo más importante a él asociado.
- Haz un cojín con la tela que te trae recuerdos o utilízala para forrar un álbum de fotos dedicado a la persona que llevó la prenda.
- Utiliza cajas con tapa de cristal o marcos de fotos para exponer objetos de valor sentimental.
- Regala los objetos a alguien que sepas que los utilizará y que los necesita más que tú: otro miembro de la familia, una organización benéfica, un vecino... (pero no delegues la responsabilidad de unos trastos que no quiere nadie).

HABITACIÓN 4

EL DESPACHO

Tener un despacho en casa se ha convertido en algo habitual. Mucha gente lo usa para trabajar desde casa, revisar el día a día de los gastos de un hogar, responder al correo, pagar facturas y tener el ordenador. Mientras que a todos nos gustaría que ese despacho fuera un modelo de eficacia, a muchos les parece que tiene un magnetismo especial para atraer cualquier papel que entra en casa: libros, revistas, facturas, recibos, impresos de pago de impuestos, garantías de electrodomésticos, cartas, informes y datos personales «imprescindibles» que no tienen un lugar definido que no sea la mesa, la silla o el rincón del despacho.

PIENSA GLOBALMENTE

El desorden en esta habitación es casi siempre un problema de papel. Lo sorprendente es que, si piensas en ese papel que llena tu despacho —libros, revistas, archivos, correo, etc.—, te darás cuenta de que la mayor parte son cosas que nunca volverás a utilizar. Cuando trabajemos en las zonas problemáticas, aprenderás a valorar con qué debes quedarte y cómo guardarlo mejor.

MARCO DE ACTUACIÓN

- Remítete a la Tabla de la Función de cada Habitación, consensuada por todos.
- Delimita zonas para las diferentes actividades que realizas en el despacho.
- Deduce lo que no encaja en él.

MANOS A LA OBRA

Crea «zonas» en tu despacho para el papeleo

Ya hemos hecho lo mismo en otras habitaciones de tu hogar y ahora le toca el turno a tu despacho. Asegúrate de que tienes asignados lugares para los principales tipos de papeles que conviven en este espacio:

- Correo sin abrir o por responder
- Revistas
- Facturas y recibos
- Información importante y archivos personales

El correo y las facturas pueden estar bastante juntos. Sobres, sellos, talonario de cheques y otras cosas que necesitas con frecuencia deberían estar a mano. Delimitar las zonas te permite trabajar de un modo más eficiente y despejar la casa de papeles.

PARA TU INFORMACIÓN: ORGANIZANDO TUS TARJETAS DE CRÉDITO

Todas las tarjetas de crédito tienen un número de contacto de emergencia en el reverso. De poco te sirve eso si pierdes la tarjeta o te la roban. Saca una fotocopia del anverso y el reverso de todas tus tarjetas y guarda las copias en lugar seguro. Si pierdes o te roban las tarjetas, tendrás todos los números.

Mantén despejadas todas las superficies horizontales

La impresión que te da un espacio se graba en la mente desde el mismo instante en que accedes a él. Crea un ambiente para trabajar con eficiencia y mantén tu despacho ordenado y sin montones de papeles; asegúrate de que la mesa esté despejada. Si no creas montones, no crecerán.

Trabaja eficientemente

¡Utiliza las herramientas adecuadas para el trabajo! Invierte un poco de dinero en una cómoda silla de despacho, asegúrate de que tu mesa tiene la altura correcta, de que la iluminación es adecuada y de que tienes cerca del teléfono un bolígrafo y una libreta de notas. Las cosas simples cuentan... e incrementan la productividad.

Adopta el sistema digital

En la época de la informática e Internet, aprovéchate tanto del *hardware* como del *software*. Ordena tus archivos, borra los atrasados regularmente, realiza *backups* de los más importantes y, siempre que sea posible, utiliza Internet para concretar negocios, pagar facturas, etc. Realizar los trámites bancarios y pagar las facturas a través de la red te permite reducir el papeleo y eliminar parte del estrés de fin de mes.

EL PAPEL

Recientemente estuve trabajando con Dean, un asesor financiero con más de veinte años de experiencia, y que sabe más de dinero e inversiones que cualquier otra persona que haya conocido en mi vida. Acudió a mí porque necesitaba ayuda para organizar sus «artículos de prensa financieros». Resultó que, a lo largo de su carrera, Dean había reunido más de diez mil artículos relacionados con la industria y, aunque marcaba y recortaba unos veinte artículos semanales, nunca conseguía leer más de una tercera parte. Cuando Dean se dio cuenta de que coleccionar esos artículos tenía mucho más que ver con el miedo a perderse alguna información importante que con cualquier otra cosa, fue capaz de reducir el número de artículos que se quedaba sin sentir un constante estrés por lo que pudiera perderse. ¡Y la parte positiva fue que, dado que pasaba menos tiempo seleccionando artículos, tenía más tiempo para leer los que realmente le importaban!

¿Recuerdas cuando se decía que la llegada del ordenador marcaría el nacimiento de una sociedad sin papeles? ¿No te gustaría estrangular al tipo que hizo tal predicción? Nos guste o no, el papel está aquí y se quedará con nosotros. El despacho es terreno abonado para un desorden inflamable: papeles, carpetas, recuerdos familiares, libros... El papel tiene la costumbre de quedarse inmóvil esperando que hagas algo con él: que lo leas, que lo rellenes, que lo pagues, etc. Sean la clase de papeles que sean, el secreto es controlarlos antes de que te controlen.

EL CORREO

PARA TU INFORMACIÓN

Vales de descuento, facturas, invitaciones, correo comercial... Todos los días el correo es un calvario. Se estima que un estadounidense recibe una media de 50.000 envíos de correo a lo largo de la vida, un tercio de ellos de correo comercial. Peor todavía, cada uno de nosotros pierde un promedio de ocho meses de su vida por culpa de ese correo comercial. Por eso deberías hacer todo lo posible para manejar tu correo de un modo más eficiente.

El correo que llega a casa necesita un hogar

Todos recibimos información importante por correo a la que debemos responder en buena parte para asegurarnos de que en nuestro hogar y nuestra vida no haya sobresaltos. Hay que pagar las facturas, responder a las invitaciones y contestar las solicitudes bancarias o de los estamentos oficiales. Hacer más eficiente este proceso evita un montón de preocupaciones innecesarias y asegura que tus asuntos domésticos sean atendidos a tiempo. No puedes esperar que tu hogar funcione como una seda si no tienes controlada la correspondencia.

En una pequeña ciudad de Carolina del Norte trabajé con Matt, un chico que estaba tan abrumado por su correo que casi resultaba cómico, incluso estalló en carcajadas la primera vez que hablamos del asunto. Matt había decidido guardar todo el correo que llegaba a su casa; no tenía mucha lógica, pero llevaba unos cuantos años haciéndolo. No obstante, aunque creía que el correo comercial podía almacenarse en una serie de simples cajas de plástico transparentes, siempre en incremento, opinaba que el correo más importante —facturas, resúmenes de los pagos con tarjetas de crédito, correspondencia oficial— debía guardarse en un lugar más seguro. Y decidió que el lugar más seguro era su coche. Así que Matt tenía una casa abarrotada de correo comercial y un coche atestado de correo personal. Todo iba sobre ruedas hasta que una noche Matt dio un volantazo para no atropellar a un animal que se cruzó en la carretera. Cegado por el papel que volaba por todas partes, metió el coche en una profunda zanja de la autopista.

Créeme, el asiento trasero de tu coche no es el lugar ideal para archivar el correo. El cuarto de baño tampoco. Ni el salón, ni la cocina, ni la mesita de café. Piensa en una simple bandeja o en una cestita para guardar todas las cartas que debes responder. De esa forma podrás localizar fácilmente lo que buscas y te asegurarás de responder a todo lo que necesita tu atención. Acostúmbrate a colocar siempre el correo en el lugar designado, sea cual sea, e intenta que todo el mundo en casa haga lo mismo. Puede parecer trivial, pero te ahorrarás horas de frustrante búsqueda y te asegurarás de no atrasarte en los pagos y de no perder invitaciones que luego no recuerdas.

Correo comercial

¡El correo comercial es tu enemigo! Imagina que llaman a tu puerta. La abres y te encuentras con un hombre que lleva un bote de pintura en las manos. ¿Qué haces?: a) le invitas a entrar; b) le das con la puerta en las narices. Lo mismo deberías pensar del correo comercial: es un intruso esperando para entrar y sembrar el caos en tu casa. El correo comercial es la ruina de la mayoría de la gente. Pero, te guste o no, ahí está y no desaparecerá. Lo importante es saber cómo manejarlo.

MÁS INFORMACIÓN SOBRE EL CORREO

Se necesitan más de cien millones de árboles para producir los casi cinco millones de toneladas de correo comercial que se envía cada año en Estados Unidos, del cual la mitad ni siquiera llega a abrirse.

Sólo bromeo a medias cuando le digo a la gente que en el instante en que deja que una carta de correo comercial toque una superficie plana de su hogar ya puede ir pensando en empaquetar todas sus cosas, trasladarse y vender la casa. Una vez dentro, el correo comercial tiene la capacidad de reproducirse en la oscuridad hasta que cubre todas las superficies. Si crees que estoy loco, dame otra explicación para el hecho de que todas y cada una de las superficies de la mayoría de hogares que veo (¿del tuyo quizás?) esté cubierto de ese tipo de correo.

Trata al correo comercial como al enemigo que en realidad es. Siempre que sea posible, no dejes que entre en tu hogar. Ten una papelera a mano, en algún lugar, y asegúrate de que vayan a parar a ella todos los sobres que contengan correo comercial. Rompe toda la correspondencia que lleve tus datos personales.

Otra estrategia es impedir que el correo comercial llegue a tu casa. Lleva un poco más de tiempo, pero el esfuerzo merece la pena. Hay cosas concretas que puedes hacer para reducir el volumen de correo indeseado que recibes.

ESTRATEGIAS PARA REDUCIR AL MÍNIMO
EL CORREO COMERCIAL

- Cuando firmes para recibir un nuevo catálogo, un nuevo producto o cada vez que tengas que dar tus señas como parte de una transacción comercial, insiste en que no inscriban tu nombre y tu dirección en un listado que después puedan comercializar y vender a terceros. Salva un árbol, controla el desorden y conserva un poco la cordura... ¡todo ayuda!

- Si vives en Estados Unidos, contacta con la Direct Marketing Association por *e-mail* o correo ordinario. Visita su página web en *www.dmaconsumers. org* o ve a la Consumer Assistance, o envía una postal a la DMA, Mail Preference Service, P.O.Box 643, Carmel, New York-10.512. Pídeles que activen el «Mail Preference Service». Tendrás que dar tu nombre completo, dirección y código postal. Con esto evitarás que te llegue el 75% de todo el *mailing* nacional. Puede que tardes un par de meses en notar la diferencia en la cantidad de correo comercial que llega a tu casa, pero merece la pena.

- Evita recibir todas esas molestas ofertas de tarjetas de crédito. Puedes llamar gratuitamente las veinticuatro horas del día al 888-5OPT-OUT (888-567-8688) para que borren tu nombre de la lista de las compañías más importantes de tarjetas de crédito. Puedes elegir entre que borren tu nombre durante dos años o para siempre.

Facturas y recibos

Por mucho que las odiemos, las facturas son el correo más importante que recibimos. Las cartas personales son mucho más significativas, pero hoy día suelen recibirse y mandarse por *e-mail*. Si las facturas no se pagan en el plazo correspondiente, las compañías de tarjetas de crédito no dudarán en cargarnos intereses de demora. La deuda de una tarjeta se acerca sigilosamente y es una bestia desagradable que devora tus fondos más deprisa de lo que puedes reponerlos. Si dejas sin pagar las facturas de las empresas suministradoras de servicios puedes encontrarte sin electricidad, agua, teléfono u otros servicios básicos. Esto causa estrés y tensión. Te los causa a ti y a todos los que viven contigo. Puede tener un impacto negativo en tu reputación, tu capacidad de crédito y, a largo plazo, poner en peligro la posibilidad de que te concedan una hipoteca o el préstamo para un coche.

Querido Peter:

«Líbrate de la basura y tendrás espacio para los tesoros.» «Deja que las cosas importantes ocupen el centro del escenario.» Recorro mi casa limpiando y repitiéndome estas palabras. Ahora sé lo que es importante para mí y aquello de lo que puedo prescindir. Vi una barbacoa de interior que no he utilizado en cuatro años, la tiré a la basura, y conseguí espacio para una batidora antigua que adoro y que me había regalado mi tía antes de morir. El espejo barato que compré hace cuatro años durante unas vacaciones desapareció de mi casa para ser sustituido por un tablero nuevo para colgar mensajes, mucho mejor, con una bandeja donde mi marido puede poner el correo y un gancho para colgar las llaves. En lugar de utilizar una bolsa de tela que tenía en la parte trasera de una puerta para dejar las facturas, compré un organizador con bandejas. ¡Y funciona! ¡Ayer pagué la factura de la televisión por cable el mismo día que la recibí!

Aprovéchate de la tecnología

Intenta pagar tantas facturas como puedas por Internet. Considera el *software* un acelerador para rastrear todas las facturas, facilitarte los pagos y ayudarte a preparar tu declaración de renta. La mayoría de las compañías aceptan un pago automático a fecha fija o, simplemente, puedes acceder a tu cuenta electrónica y revisar las facturas para asegurarte de que son correctas antes de aprobar la transferencia de dinero.

Acelerando el proceso

Mantén tu correo en un lugar preferencial, cerca de la mesa del ordenador o en ella. Cuando llegue el momento de pagar las facturas, serás capaz de hacerlo rápida y eficientemente, bien por correo o por vía electrónica. Mantén todo lo necesario para tramitar las facturas —sellos, sobres y talonario de cheques— en el mismo lugar, cerca del correo y del ordenador. Se acabó el perder tiempo intentando encontrar sobres, sellos o tu talonario. Las facturas son ya de por sí suficientemente dolorosas, ¿por qué alargar un trámite que tarde o temprano tendrás que cumplir?

Mantenimiento del sistema

Mucha gente se siente incómoda si rompe o tira las facturas pagadas. He visto hogares en los que todos los recibos y las facturas pagadas de los últimos diez años andan desparramados por toda la casa. Si quieres conservar las facturas y/o los recibos pagados, necesitas tener todo ese papeleo bajo control. Empieza comprando un archivador de fuelle con doce apartados para los doce meses. Cuando pagues la factura de junio, por ejemplo, colócala en el mes junio del archivador. Volverás a él doce meses después. Si no has necesitado esa factura en todo un año, es difícil que vuelvas a necesitarla alguna vez. El mismo sistema vale para los recibos. Otra solución muy simple para ordenar los recibos es utilizar dos bandejas: adopta la costumbre de vaciar cada día el monedero o el bolso de recibos y déjalos en una de las bandejas. Cuando se llene, empieza con la otra. Si no has necesitado un recibo en el tiempo que tardas en llenar una, lo más seguro es que nunca lo necesites. Cuando llenes la segunda, tira todos los recibos de la primera. (Ver Hacienda en la página 187 para saber las facturas y los recibos que vale la pena conservar.)

ARCHIVOS

El camino a la buena organización está pavimentado con archivadores descartados. Los archivadores son engañosos. Parecen una buena solución organizativa, pero, aunque son mejores que una estantería llena de papeles desordenados, no resuelven automáticamente el problema. ¿Por qué? Porque, por extraño que parezca, en un archivador caben tantos papeles que la tentación es llenarlo archivándolo todo. ¡Y eso es un error! Recuerda que el 80% de lo que se mete en un archivador nunca vuelve a ver la luz del día. Sé juicioso con lo que archivas y programa una criba anual de todo aquello que es antiguo o que ya no necesitas.

Invierte en un buen sistema de archivo

Utiliza un archivador estable, de buena fabricación. Hay marcas comerciales que venden carpetas etiquetadas que cubren todo el espectro del papeleo doméstico. Estos sistemas te ayudan a organizarlo y controlarlo y son fáciles de utilizar.

Si prefieres hacerlo por tu cuenta, etiqueta claramente las carpetas de una forma lógica y que te permita recuperar rápida y eficazmente la información que necesites. Si eres ambicioso, utiliza un código de colores como los profesionales. Pero, hagas lo que hagas, escoge un sistema adecuado para tu situación particular. Una vez archivada una cosa, es muy fácil olvidar dónde está o incluso si existe. Con un buen sistema de archivo te aseguras de poder encontrar cualquier papel importante sin sudar a mares.

CATEGORÍAS SUGERIDAS DE ARCHIVO

- **Automoción:** mantenimiento y reparaciones, garantías, comprobantes.
- **Educación:** copias de certificados académicos, informes escolares, información de la escuela.
- **Finanzas:** tarjetas de crédito, extractos bancarios, inversiones, pago de impuestos y fondos de pensiones.
- **Salud:** póliza del seguro de enfermedad, guía médica, historial dental, pruebas médicas.

- **Hogar y propiedades:** escritura de compra de la casa o el piso, proyectos de mejora de la casa, recibos de los trabajos hechos en la propiedad, inversiones en la propiedad.
- **Seguros:** de la casa y su contenido, del coche, de vida, de incapacidad o cualquier otra póliza que tengas. Papeleo relacionado con las reclamaciones que hayas hecho.
- **Legal:** documentos importantes como el pasaporte, los certificados de nacimiento, el de matrimonio y los testamentos.
- **Trabajo:** contratos de trabajo, currículos, programas de beneficios laborales.
- **Impuestos:** un archivo para la declaración de la renta de cada año con el papeleo correspondiente.

A las categorías propuestas puedes añadir otras o subdividirlas según tus necesidades específicas. Algunas categorías más podrían ser, por ejemplo:

Cuidado de los niños	Planes de jubilación
Entretenimiento	Viajes y vacaciones
Celebraciones/cumpleaños	Manuales de aparatos
Historia familiar	domésticos y de otro
Comida/vino	tipo
Mascotas	Garantías

No lo archives todo

Recientemente trabajé con una familia. La madre tenía miedo de perder cualquier papel importante. El problema era que todo le parecía importante, no sabía dónde poner el límite. Cuando empecé a revisar su pulcro sistema de archivo, descubrí que incluso tenía... ¡los recibos de los restaurantes de comida rápida de los últimos doce años! Elige cuidadosamente lo que archivas. Si dudas, habla con un gestor para que te aconseje qué vale la pena conservar y de qué puedes prescindir. Plantéate añadir a la etiqueta de los apartados un «guardar hasta» para tener claro cuándo puedes eliminar el papeleo. Recuerda: es muy probable que sólo llegues a necesitar una quinta parte de lo que archives, así que escoge cuidadosamente antes de llenar una carpeta donde puede pasarse años de forma completamente innecesaria.

Sé eficiente

Guarda las carpetas que más frecuentemente utilizas (resguardos bancarios, seguro del coche, etc.) a mano para tener acceso fácil y rápido a esa información importante. En el cajón superior de tu mesa de trabajo deberían estar las carpetas que más necesitas, incluida la de recibos, resguardos bancarios y demás papeleo necesario para la declaración de renta anual. Almacena las carpetas de ejercicios anteriores en un lugar menos accesible (sólo las volverás a necesitar si te someten a una auditoría). Puedes dedicar un cajón a cada miembro de la familia y otro al papeleo común. Rotula los cajones de tu mesa de trabajo para saber de un vistazo lo que contiene cada uno.

Si no lo necesitas... tíralo

No dejes que tus archivadores se conviertan en un cementerio de papel. Revisa tus carpetas una vez al año por lo menos y líbrate de todo aquello que ya no quieres o no necesitas. Es imperativo que cribes los archivadores regularmente por dos razones: la primera para librarte de lo antiguo, pero también para refrescarte la memoria sobre lo que tienes guardado. Créeme, puede llegar a ser un ejercicio sorprendente.

Hacienda

Conservar los informes financieros ordenados y saber que tienes todos los documentos necesarios a mano reduce el temor a que nos falten documentos en el caso de que nos sometan a una auditoría. Por lo general, los organismos impositivos dan unas pautas claras de lo que debemos guardar, es nuestra obligación asegurarnos de que estamos lo suficientemente organizados para cumplir esos requisitos, lo que por otra parte no es nada difícil.

Si vives en Estados Unidos, puedes descargar de la red información del IRS sobre el papeleo que conviene guardar. Entra en www.irs.gov y busca Publicación n.º 552.

Te doy ahora unas pautas generales y claras para guardar facturas y documentos financieros para la declaración anual y de cara a una posible auditoría. Declino cualquier responsabilidad. No debes seguir mis consejos al pie de la letra. Consulta con tu contable o tu gestor para verificar que esta información esté al día y sea aplicable al lugar donde vives y a tu situación concreta.

CALENDARIO DE ELIMINACIÓN DE PAPELEO

Tira mensualmente:

- Los comprobantes de los cajeros automáticos, los de pagos con tarjeta de crédito y los resguardos de ingreso bancarios (a menos que los necesites para una auditoría), siempre después de cotejarlos con los extractos del banco o de la tarjeta de crédito.
- Los recibos de las compras de pequeño importe, a menos que sean una garantía de devolución.

Tira anualmente:

- Los extractos mensuales del banco y de la tarjeta de crédito (a menos que los necesites para deducir impuestos), ya que la mayoría de las compañías de tarjetas de crédito mandan un resumen al final de año que sí que puedes guardar.
- Los recibos mensuales de la hipoteca, ya que a final de año recibirás un resumen anual.
- Las matrices de los talonarios tras cotejar los importes.
- Todos los cheques anulados y los recibos o resúmenes anuales de los intereses de la hipoteca que tengan siete años o más de antigüedad, las declaraciones de impuestos que tengan siete años o más de antigüedad. Los gastos profesionales deducibles u otros gastos deducibles con siete años o más de antigüedad.

Guarda indefinidamente:

- Las declaraciones de Hacienda.
- Los resúmenes anuales de las instituciones financieras.
- Los recibos de compra de cualquier inversión que hagas.
- Los recibos de las reformas de tu hogar o de compras importantes que puedes necesitar para reclamaciones a las compañías de seguros o similares.

SÉ REALISTA: LA DEUDA DE LAS TARJETAS DE CRÉDITO

Puede que no sea obvio pero hay una relación entre deudas y desorden. No estoy hablando de los préstamos para la casa, la escuela o el coche, cuyos intereses suelen ser razonables. Pero la deuda de una tarjeta de crédito es el diablo en persona y, siempre, consecuencia de una inadecuada adquisición de bienes. Una familia estadounidense debe por término medio 9.200 dólares a las compañías de sus tarjetas de crédito. Algunos nos apoyamos en esas tarjetas cuando somos jóvenes, no tenemos trabajo y/o somos vulnerables. ¿Quién puede culparnos, si los departamentos de *marketing* de las compañías se las ofrecen a los estudiantes universitarios y a quienes están en bancarrota? Con una tarjeta de crédito a su disposición en la universidad, los estudiantes intentan mejorar el estándar de vida que tenían con su familia. Creen que pueden tener todo lo que quieran y cuando quieran. Los chicos terminan los estudios y, en vez de comenzar de cero, comienzan con deudas de la peor especie: las de las tarjetas de crédito.

Y una vez metido en este tipo de endeudamiento, es una costumbre difícil de cambiar.

Para controlar lo que gastas con tus tarjetas de crédito, necesitas adquirir hábitos y ponerte límites. ¿Te resulta familiar? Es lo mismo que te dije sobre la educación de tus hijos. Si no hay espacio no puede haber juguetes y si no hay fondos no puede haber gastos. Créeme, no importa lo mucho que ansíes ese equipo de música o ese coche, a largo plazo un exceso de gasto te dará más quebraderos de cabeza que alegrías.

ÁLBUMES DE RECORTES Y DE MANUALIDADES

Los álbumes de recortes se han vuelto increíblemente populares en los últimos años. Se estima que, sólo en Estados Unidos, practican esta afición unos veintitrés millones de personas. ¡En casi uno de cada cuatro hogares! El número de personas que adopta alguna otra afición o que se dedica a las manualidades es similar. La mayoría de mis clientes han tenido problemas con el material para manualidades porque acumulan más de lo que puedas imaginar. Recuerda que tener lo necesario para hacer manualidades no te convierte automáticamente en un manitas ni en un creador de álbumes de recortes. ¿Qué consigues, al fin y al cabo, poseyendo esos materiales? ¿Qué haces con ellos? ¿Son una fuente de placer y relajación o algo que te produce más estrés en casa de lo que quieres admitir?

Querido Peter:

Soy una fanática de los tejidos y tengo más de veinte cajas llenas de retales. Este pasado fin de semana me prometí librarme de la mitad, y la verdad es que he terminado con sólo siete cajas. Di el resto a una amiga del trabajo, madre soltera, a la que le encanta coser y que tiene un hijo pequeño. Quedó encantada y yo me siento mucho más liberada.

Si eliges una afición o una manualidad, asegúrate de que disfrutas realmente con ella. Hazlo porque quieras hacerlo, no porque otros esperen algo de ti, porque sea algo a lo que una vez estuviste ligado o porque no quieres desperdiciar esos materiales que compraste. Tal como debes escoger la vida que quieres, también tendría que ser elección tuya la forma en que pasas el tiempo libre.

Ponte límites

Hace aproximadamente un año trabajé con Jan y Thomas, que se describen como «ávidos aficionados» y que necesitaban mi ayuda para organizar los materiales para sus manualidades y aficiones. Su hogar estaba atestado de todo lo imaginable para los diversos tipos de aficiones que, según ellos, les encantaban. Las de ella: hacer punto, recortables, *collages*, confeccionar edredones, pintar muñecas, cerámica, bisutería y pintar con acuarelas. Las de él: maquetas de aeromodelismo, coches teledirigidos, fotografía en blanco y negro, talla de madera y esculturas de metal. Cuando empezamos a revisar los materiales, una cosa quedó clara de inmediato. Cada uno de ellos tenía unos quince «proyectos» empezados y sin terminar... ¡alguno desde hacía diez años! Jan y Thomas habrían hecho mejor montando una tienda de material para manualidades, tenían suficiente para ello.

Recuerda las zonas

Si disfrutas con una manualidad o te gustan los álbumes de recortes, necesitas una zona dedicada a esa afición donde puedas tener todo lo que necesitas para el proyecto en el que trabajes. Una vez delimitada tu «zona creativa», escoge otras para todo el material y el equipo que vas a necesitar. Mantén esas zonas limpias y ordenadas para que reanudar el proyecto te sea fácil y cómodo, aunque tengas poco tiempo para dedicarle. Y, lo más importante: asegúrate de apartar todo aquello que hayas utilizado y límpialo. Eso hace que sea un lugar atractivo al que volver y crea un hábito que aumentará tu creatividad.

Vive tu vida

Leanne tenía una habitación en casa que llamaba «central de recortes». Esperaba crear en ella detallados álbumes de recuerdos para sus tres hijos. El problema era que Leanne había comprado demasiado material y tenía tan poco tiempo que, cada vez que se acercaba a la «central de recortes» la abrumaban el desorden y la culpabilidad de haber comenzado apenas sus álbumes. Por muy interesada que estuviera en el proyecto, las expectativas de Leanne eran completamente irreales.

Vive tu vida. Los álbumes de recortes pueden ser una forma maravillosa de conservar los recuerdos, pero sin un cierto sentido del equilibrio, guardar los recuerdos puede interponerse en el camino de crearlos. No puedes guardar todos y cada uno de los recuerdos que posees. Escoge como punto de partida tus mejores momentos, los más excitantes y memorables; si tienes tiempo de crear álbumes de recortes para esos momentos, considera cumplidos tus sueños. Quédate únicamente con el material que necesitas para el proyecto en el que estás trabajando y asegúrate que ese álbum de recortes o cualquier otra afición no se convierta en un fin en sí mismo.

PAPEL DE REGALO

Por último, debo admitir que no soy un gran amante del papel de regalo. Bueno, al menos no de ese en el que piensa la mayoría cuando usa ese término. No entiendo que el papel de regalo se haya convertido en una obsesión nacional. En algunos hogares me he encontrado con más de cien rollos de diferentes tipos de papel de envolver: para Navidad y Hanukkah, bebés y novias, bodas y aniversarios, niños y ancianos... incluso para perros y gatos. Personalizar los regalos utilizando un papel de envolver distintivo no está mal, pero si tu hogar está sobrecargado de ese tipo de papel, quizás haya llegado el momento de que hagas algo al respecto.

Hay una forma simple y elegante de envolver los regalos. Recuerda este principio: más no es necesariamente mejor. Compra un rollo de papel marrón de buena calidad y cintas de tres colores, blanco, rojo y negro. Envuelve todos tus regalos en ese papel sencillo y decóralos con una combinación de cintas. ¿Encuentras el marrón demasiado serio? Utiliza otro que te sirva de «firma». Así tus regalos siempre destacarán entre los demás sin que tengas que gastarte una fortuna envolviéndolos. Y lo mejor de todo, ese material apenas ocupa espacio. Elegancia en la simplicidad... ¡eso es lo que funciona!

HABITACIÓN 5

LA COCINA

La cocina es el centro neurálgico de cualquier hogar. Normalmente, es la primera escala cuando todo el mundo llega a casa y, muy a menudo, el lugar donde pasan más cosas: se charla, se cocina, se come, se hacen los deberes, incluso se pagan las facturas. Cuando añades toda esa actividad al inevitable trabajo de preparar, servir y comer lo cocinado, la cocina puede ser un lugar difícil de mantener limpio y organizado. Intenta contemplarla bajo un nuevo prisma: detente un momento y piensa en la energía que malgastas buscando las cosas; considera cómo te mueves en ese espacio y lo que necesitas para realizar todo ese trabajo. Con eso en mente, enfréntate a uno de los espacios de tu hogar que plantean un verdadero reto.

PIENSA GLOBALMENTE

La idea básica es que no se puede postergar nada: la comida se estropea, los platos sucios se acumulan, todo se descontrola. Por supuesto, admito que hay ocasiones especiales. Mientras nos encargamos de la cocina, necesito que seas realista en lo que se refiere a tales ocasiones, asegurándote de que no son especiales sólo en tu imaginación. Todo en la cocina es forma y función. Sabes lo que utilizas más asiduamente, así que ten esas cosas a mano y que todo lo demás no moleste. Necesitas más el espacio que esa *fondue*, así que asegúrate que puedes trabajar cómodamente a tus anchas. Y si esas ocasiones especiales existen realmente, los accesorios que necesitarás para ellas deberían ser menos accesibles y estar adecuadamente etiquetados.

MARCO DE ACTUACIÓN

- Remítete a tu Tabla de la Función de cada Habitación, consensuada por todos.
- Delimita zonas para las diferentes actividades que realizas en la cocina.
- Deduce lo que no encaja en ella.

MANOS A LA OBRA

Mantén despejadas las superficies planas

Mantener las superficies planas es quizá lo más importante en tu cocina... como en todas las habitaciones de la casa. Una encimera despejada hace que cualquier cocina parezca más organizada. En cuanto esas superficies empiezan a desaparecer bajo toda clase de objetos, pierdes la motivación para mantener la zona organizada y dejas que sea pasto de más polvo y suciedad, grandes componentes del problema del desorden. ¡Considera las superficies planas como tu zona de preparación, no tu zona de almacenamiento!

Trabaja alrededor del «triángulo mágico»

Piensa en la zona formada por el fregadero, la nevera y el horno —o la vitrocerámica— como el «triángulo mágico» de tu cocina. Este triángulo es terreno sagrado, el centro de la preparación de los alimentos, la limpieza y el servicio. Todo lo básico para la preparación diaria de comida (ollas, cacerolas, cubiertos de madera, bolsas, platos, etc.), debería estar situado en este triángulo o junto a él, y en esta zona no debería haber nada más. Coloca a un paso, pero fuera del triángulo, las cosas que utilizas regularmente, pero no con demasiada frecuencia: procesadores de alimentos, batidora, ollas especiales... Otro paso más lejos, lo que utilizas de vez en cuando: la máquina de hacer pan, las bandejas para cocinar el pavo, los moldes para galletas... Organizando así tu cocina, descubrirás que puedes cocinar con más eficiencia y menos movimientos, logrando un máximo de efectividad. Teniendo a mano los utensilios básicos de uso más frecuente, te ahorrarás una enorme cantidad de tiempo y energía.

Piensa en tu cocina en términos de zonas

El concepto del «triángulo mágico» se refuerza si delimitas zonas concretas en tu cocina. Crea cuatro zonas principales: la de preparar, la de cocinar, la de comer y la de limpiar. La de preparar ha de estar cerca del fregadero y necesita mucho espacio con fácil acceso a los cuchillos y a la tabla de cortar. La de cocinar debe encontrarse cerca del horno o la vitrocerámica y requiere fácil acceso a ollas, sartenes, utensilios de cocina y especias. La de comer necesita un espacio despejado con acceso a cubiertos, servilletas, sal, pimienta y otros condimentos. Y, por fin, la de limpieza necesita espacio para lavar y secar cómodamente todo aquello que no vaya al lavavajillas. Organiza tus cosas en función de estas zonas de trabajo y tu cocina será mucho más eficiente.

Todos los caminos conducen a la cocina

En muchas casas, la cocina es el lugar donde los miembros de la familia tienden a dejarlo todo: abrigos, mochilas escolares, correo, juguetes, notas... todo. Para ganar espacio, instala ganchos sólidos en la pared donde puedan colgarse bolsas y mochilas. Etiquétalos claramente con los nombres de cada uno de los habitantes de la casa. También puedes añadir una bolsa pequeña en el suelo, bajo cada gancho. Ahí pueden dejarse las pertenencias de cada persona: juguetes, correo u otros objetos. También es un buen lugar para dejar las llaves del coche y los bolsos, ya que así se encuentran fácilmente al salir de casa.

Conserva únicamente lo que necesites y uses

LA PRUEBA MENSUAL DE LA CAJA DE CARTÓN

¿No estás seguro de lo que utilizas con más frecuencia y lo que no? Aquí tienes un sistema para descubrirlo: vacía el contenido de los cajones de tu cocina en una caja de cartón; durante un mes, devuelve únicamente a los cajones el utensilio que saques de la caja para utilizarlo. Al final de ese mes, piensa seriamente en descartar todo aquello que siga en la caja de cartón. Reconócelo: si después de cuatro semanas sigue en la caja, es que no lo necesitas.

La cocina

Las cocinas atraen una tonelada de aparatos y cacharros inútiles, pero aparentemente «imprescindibles». ¡Si no me crees, mira los publirreportajes televisivos nocturnos! El primer paso para organizarse es reducir considerablemente la cantidad de comida, vajilla y electrodomésticos que tienes en la cocina, descartando aquellos que ya no usas. ¿De verdad necesitas quedarte esa olla a presión, únicamente porque fue un regalo de Navidad? Está ocupando un espacio considerable. Y todas esas ollas y sartenes especiales, esos cortadores de huevos duros, esos descorazonadores de manzanas, esas cucharitas para hacer bolitas de melón y quién sabe qué más... ¿de verdad utilizas y necesitas todo eso? Otra cosa: te guste o no, esa olla de *fondue* tiene que desaparecer.

ARTÍCULOS DE COCINA QUE MENOS SE UTILIZAN	
GRANDES:	PEQUEÑOS
Olla para *fondues*	Cortador de huevos duros
Máquina de hacer pan	Descorazonador de manzanas
Batidor de creps	Cortador de pizzas
Heladera	Cucharas para pomelos
Licuadora	Todo lo que cueste 19,95
Ollas de barro	en los publirreportajes
Molde para gofres	televisivos
Soplete de propano	
Moldes de galletas	
Pelador de plátanos	
Bandeja para pizzas	

Mantén los artículos agrupados

Ya sean platos, ollas, sartenes o comida, asegúrate de colocar artículos similares en el mismo lugar. Siguiendo esta regla ahorrarás tiempo y dinero, y sabrás lo que tienes rápida y fácilmente. Así evitarás comprar cosas repetidas.

Reclama espacio vertical en tu cocina

Utiliza el espacio que tienes. Aumenta el espacio útil en tu armario utilizando bandejas giratorias, miniestantes, escurreplatos, incluso la parte trasera de las puertas de tus armarios para ganar espacio. Son soluciones fáciles y baratas que te ayudarán a no perder utensilios en el fondo de los armarios. Prueba formas creativas de aprovechar el espacio que tienes en las paredes: cuelga un tablón de anuncios para controlar la proliferación de papel y notas por todas partes, y asegúrate de que todo el mundo tiene un lugar en ese tablón para colocar notas y avisos importantes.

Repasa regularmente los armarios

Cada seis meses revisa el contenido de tus armarios y cada tres descarta la comida caducada o perecedera. Coloca todos los ingredientes para cocinar u hornear en la encimera de la cocina para hacerte una idea de qué tienes y cuánto tienes de cada cosa, y agrupa los ingredientes. Esta visión de conjunto hará que el desorden en la cocina no vuelva a dominarte. Cuando compres alimentos envasados, coloca el nuevo envase —caja, lata, tarro, bandeja— detrás de los que ya tienes, para gastar en primer lugar los más antiguos. Así evitarás tirar comida caducada.

Al igual que debes dar un repaso regular a los alimentos de tu despensa también tienes que repasar la nevera y el congelador. Hazlo para asegurarte de que no estás conservando comida caducada. Los alimentos congelados no se conservan eternamente, así que comprueba esos bloques congelados que tienes al fondo. Cuando metas algo en el congelador, etiquétalo claramente, indicando el contenido y la fecha de congelación. ¡Si no recuerdas lo que es, lo más seguro es que tengas que tirarlo!

Piensa en una solución transparente

Invierte en fiambreras de plástico transparente o en un frigorífico con estantes de cristal para encontrar más fácilmente lo que buscas y saber cuándo tienes que reponer algo. Los envases transparentes también te permiten almacenar las cosas juntas.

MARGEN DE SEGURIDAD

Consulta la fecha de caducidad de los productos envasados, embotellados y enlatados. Por regla general, si no los abres, esos productos se mantienen bien durante un año. Una vez abiertos, guarda el contenido sobrante en la nevera y en un envase hermético. Los alimentos secos, como el arroz y la pasta, suelen poder utilizarse durante el año de compra; pero, una vez abiertos, han de guardarse en botes herméticos. La mayoría de las especias deben descartarse al año, ya que suelen perder aroma. Guarda los ingredientes de pastelería en contenedores herméticos, en un lugar fresco y oscuro de tu armario, durante un año como máximo.

Limpiar sobre la marcha

Es importante, más que en cualquier otra habitación de la casa, que en la cocina te acostumbres a terminar una tarea. Si has abierto una olla y derramado sin querer comida en la encimera, límpiala. Si recoges la mesa, deja los platos en el lavaplatos inmediatamente. Cuando termines de comer, lava las ollas y las sartenes, y limpia el fregadero. La sencilla rutina de limpiar sobre la marcha y completar las tareas hasta el final te ayudará a mantener el orden y despejar tu cocina.

CAJÓN A CAJÓN

Ollas y sartenes

El almacenamiento de ollas y sartenes consume mucho espacio. Por eso se venden esos armarios de cocina que llegan hasta el techo y que te permiten tenerlas por encima de tu cabeza. Otra solución sencilla es un armario rinconero con bandejas giratorias, que te permiten girar los estantes hasta dar con lo que buscas. Pero si ninguna de estas soluciones te funciona, tus ollas pueden ser una pesadilla. Revísalas de vez en cuando y procura que no se hayan ido arrinconando al fondo del armario. Aunque sea una olla en perfecto estado, si no la utilizas nunca no hace falta que la conserves. Y recuerda: si tienes utensilios de cocina que sólo utilizas en ocasiones especiales, guárdalos en alto y lo más lejos posible de las zonas más sobrecargadas de la cocina.

Utensilios

Los tenedores, los cuchillos y las cucharas de uso diario no suelen causar demasiados problemas, pero la mayoría de hogares necesitan al menos un cajón dedicado a los utensilios para cocinar: desde cucharas de madera y espátulas a termómetros para controlar la temperatura de cocción de las carnes. Si puedes, dedica un cajón cercano al horno a los utensilios que utilices exclusivamente mientras cocinas. Agrupa los cuchillos cerca de la zona de preparación; normalmente, no necesitarás más de cinco, bien afilados y de buena calidad, para preparar la comida. Si tus cajones contienen más, saca todos los que puedas e instala una tira magnética en la pared, junto a la zona donde preparas la comida: así accederás fácil y rápidamente a ellos.

Recipientes para guardar comida

Las fiambreras de plástico parecen muy prácticas. Tanto que nunca tienes suficientes, ¿verdad? Falso. Tápalas todas y séllalas con cinta aislante. A medida que las utilices, rompe el sello. Seis meses después (preferiblemente por Navidad) líbrate de aquellas que todavía lo conserven.

Libros de cocina

Utiliza un álbum de recortes barato o una carpeta para guardar todas esas fantásticas recetas que encuentras en las revistas o que te regalan tus amigos, y guarda el álbum o la carpeta en un lugar privilegiado de tu cocina. Al año, revisa las carpetas y descarta las que no hayas abierto. Si por casualidad algún día necesitas la receta de un pastel de manzana bávaro, siempre tienes Internet para buscarla.

La cocina de Christine estaba atestada de utensilios de cocina y libros de recetas para *gourmets*... que había utilizado muy pocas veces. Le encantaban los programas de cocina que daban por televisión y los veía casi todos; anotaba recetas y planeaba elaborados menús familiares. Cuando intentamos descongestionar y organizar su cocina, Christine admitió que, para ella, el éxito en la cocina representaba su éxito como ama de casa. Tenía miedo de prescindir de algo de su cocina porque eso significaba que se arriesgaba a fallar en algún momento. Superó ese miedo escribiendo las recetas de los platos familiares preferidos y escogiendo los utensilios que necesitaba para prepararlos. Así le fue más fácil descartar la mayoría de los utensilios especializados y los libros de recetas que nunca utilizaba.

LA PRUEBA DE LOS POST-IT EN LOS LIBROS DE RECETAS

Si tienes demasiados libros de recetas en tu cocina, haz esta simple prueba: cada vez que prepares una receta, marca la página con un Post-it. Año y medio después, descarta los libros que no tengan ninguno. Claro que, si tienes espacio libre para esos libros que nunca consultas, no hay problema; adelante y sigue disfrutando de su inutilidad.

Cajón de los trastos

Montones de cocinas tienen un cajón de sastre. ¿Qué guardamos en él? Sorpresa: sobres de salsa, gomas elásticas, monedas, cerillas, chinchetas, imanes de nevera. Sólo voy a decírtelo una vez: NO GUARDES TRASTOS EN UN CAJÓN. ¿Está claro?

Divide y vencerás

Incluso aunque te hayas librado de todos esos objetos que no necesitas ni utilizas, puede ser una tarea difícil mantener los cajones de la cocina ordenados. Mantén las cosas agrupadas en los cajones instalando divisores baratos o cajitas de cartón. Las diferentes categorías de artículos agrupadas en los cajones harán de buscar algo un placer y te será mucho más fácil encontrarlo todo.

Soluciones creativas

La mayoría de la gente tiende a considerar los cajones la zona principal de almacenamiento de la cocina. Una tabla de carnicero con ruedas puede ser una forma estupenda de liberar los cajones y acercar las cosas al lugar donde realmente las necesitas; puede desplazarse por la cocina y ampliar las superficies de preparación. También son útiles los ganchos en la pared para colgar utensilios de cocina.

SÉ REALISTA: BODAS

Cuando te casas puedes esperar un gran número de regalos, ya que tus parientes y amigos seguirán la tradición de ayudarte a amueblar tu hogar. Por la razón que sea, las cajas de herramientas y los equipos electrónicos no son los regalos de boda más comunes. La mayoría tienen que ver con la cocina: porcelana china, plata, ollas, sartenes y toda clase de electrodomésticos. Una lista de bodas es una buena forma de evitar los trastos que no utilizarás, pero... es inevitable que la gente compre regalos que no están en la lista y que no te gustan pero que te sientes obligado a quedarte. Además, incluso en la lista de boda entran cosas que nunca usarás. En primer lugar *fondues*, cristalería, bandejitas de cristal para salsas y aperitivos, boles de ponche y jarras de vino... Recuerda que un regalo no es una obligación. Si puedes hacerlo discretamente, devuelve aquello que no utilices; si no, dónalo o véndelo. Si tienes que esperar hasta que el que te regaló algo visite tu casa y vea que estás usando su regalo, de acuerdo, pero luego ya sabes: líbrate de él.

HABITACIÓN 6

EL COMEDOR

En las casas nuevas, el espacio donde comes forma parte muy a menudo de la cocina; no obstante, en todas las casas se reserva un espacio propio para ello. En algún momento parece que hayamos perdido la costumbre de reunirnos, sentarnos y comer, sustituyéndola por la simple mecánica del acto de comer. Cuando cenamos, la comida en sí sólo es una de las razones por las que nos reunimos: lo hacemos también para disfrutar de la conversación de los demás integrantes de la familia, compartir puntos de vista y opiniones, reforzar las relaciones y celebrar lo que tenemos en la mesa. La tradicional comida de Navidad es un buen ejemplo de estas reuniones culinarias.

Comer, por otra parte, es únicamente consumir comida, y tiene poco que ver con un sentido de familia o de comunidad. No es sorprendente que consumamos tanta comida rápida. Piensa en ello: comer rápidamente y darle más importancia a cosas como ir de compras o ver la televisión.

La distinción entre cenar y devorar es importante. Cuando al cenar, devoramos y nos levantamos de la mesa, sacrificamos un ritual familiar que tiene un propósito. Una reunión familiar en la que se desarrolla una verdadera conversación es la mejor forma de tratar los temas que abocan al desorden y la desorganización en un hogar.

PIENSA GLOBALMENTE

Pocas superficies son un mayor imán para el desorden y la acumulación que la mesa del comedor y la de la cocina. La hermosa, amplia, plana superficie está prácticamente exigiendo que la llenen de cosas: papel de envolver, facturas, correo, bolsas y montones de cosas «que ya recogeré después».

Mis clientes Melanie y Jane no habían utilizado la mesa del comedor desde hacía dos años. Estaba tan llena de facturas, juguetes, proyectos escolares y correo comercial, que ni sus hijos ni ellas recordaban qué aspecto tenía. Cuando les pedí que me explicaran la idea que tenían de aquella habitación, respondieron al unísono que anhelaban un lugar donde la familia pudiera congregarse para comer, reír, disfrutar de la compañía de los demás y unirse. Inspiradas por esa visión común del comedor y de la familia, se mostraron dispuestas a ordenar aquel espacio y mantenerlo organizado y funcional.

La mesa del comedor debería ser en tu hogar como un lugar sagrado, un espacio sin televisión, sentada a la cual la familia tiene la oportunidad de hablar de cosas que la afectan y compartir la idea de la vida que quieren llevar sus miembros tanto personal como conjuntamente. No estoy diciendo que tengas que sentarte a la mesa y proclamar solemnemente: «Compartamos nuestra idea de la vida.» No, pero cuando conversamos sobre lo que ha pasado durante el día, cómo queremos pasar el fin de semana o lo que nos preocupa, estamos creando y compartiendo esa idea.

Recientemente trabajé con una familia que tenía dos hijas

adolescentes. Las chicas nunca habían compartido una comida en la mesa del comedor porque estaba llena de objetos y papeles. La familia comía a menudo bajo el porche trasero, con los platos sobre las rodillas y viendo la televisión. Las hijas estallaron en gritos de alegría cuando descubrieron la transformación del comedor. ¿Cuál era la razón principal de su entusiasmo? Dijeron que querían disponer de un lugar donde poder hablar con sus padres sobre lo que les pasaba en el colegio y sus amigos pudieran reunirse con ellos para comer. Nada impedía ya que hicieran realidad ese deseo.

MARCO DE ACTUACIÓN

- Remítete a tu Tabla de la Función de cada Habitación, consensuada por todos.
- Delimita zonas para las diferentes actividades que realizas en el comedor.
- Deduce lo que no encaja en él.

MANOS A LA OBRA

Delimita las zonas

La función del comedor es ser un lugar agradable en el que toda la familia pueda compartir una comida. Mantenlo libre no sólo de trastos, aleja de él el televisor y otras distracciones que te impidan interactuar con los demás. Una zona limpia y sin trastos ayuda a mantener un clima de tranquilidad y relajación cuando os reunís.

Recuerda: ésta es la zona reservada para comer y todo lo que no contribuya a esa función debería ser eliminado. Mantenlo sencillo y elegante. Todo lo que necesitas en esa zona es una mesa amplia y limpia para comer, y un espacio donde guardar platos, cubiertos, porcelana y complementos.

Ten a mano lo que más utilizas

Reúne todos los platos y cubiertos que utilizas en tus comidas y déjalos sobre la mesa del comedor. Piensa en la forma en que utilizas la habitación y en la clase de comidas que sueles hacer. ¿Necesitas toda esa cubertería y todos esos vasos? ¿Cuántas personas los utilizan? ¿Celebras normalmente cenas íntimas o grandes reuniones familiares?

Agrupa platos y cubiertos sobre la mesa, y descarta aquellos que no te gusten o que no utilices habitualmente, así como los que estén muy gastados o rotos. Cuando los devuelvas al cajón o al armario, coloca al alcance de la mano los que uses más frecuentemente. Las enormes bandejas para servir y todo lo que utilices con menos frecuencia, debe colocarse en los estantes inferiores, en los más altos o en la parte trasera de los armarios.

La mesa

La mesa del comedor puede terminar convirtiéndose en el centro de la actividad familiar y todo se hace sobre ella: desde crucigramas y maquetas hasta trabajos escolares pasando por envolver regalos. Establece la norma de limpiarla cuando cada cual termine lo que está haciendo; que la mesa esté siempre despejada y preparada para las comidas. No hagas trampas. La mesa siempre tiene que estar vacía.

Porcelana

Si tienes una vajilla de porcelana, ¿la guardas como si fuera un tesoro nacional? Puede ser cara y preciosa, pero, ¿de qué te sirve tenerla si no la utilizas nunca? No quiero decir que debas servir los perritos calientes a tu hijo de tres años en un plato Royal Copenhagen; pero, por favor, intenta usarla y disfrútala. Y si no tiene ningún significado para ti, no te quedes con ella.

Mantelerías y servilletas

Si puedes, te conviene guardar todos los manteles y las servilletas en el comedor, aunque algunos prefieren guardar un mantel grande en el armario... Si tienes espacio suficiente, haz lo que te vaya mejor.

Dedica un cajón o un estante a las mantelerías de lino; así, cualquiera que ponga la mesa o la quite sabrá dónde están. Si no dispones de mucho espacio en el comedor, compra un cajón que pueda acoplarse bajo la propia mesa del comedor. Mantén la mantelería limpia, sin polvo y fácilmente accesible.

SÉ REALISTA: PROTEGE TU INVERSIÓN

Protege tu porcelana y tu cubertería. Invierte en un material que le proporcione una protección especial. Esos equipos protectores disponen de separadores de espuma para colocar cada pieza y evitan que choquen entre sí y se estropeen.

HABITACIÓN 7

EL CUARTO DE BAÑO

Las estadísticas más recientes sugieren que pasamos casi cinco años de nuestra vida en el cuarto de baño... ¡ni más ni menos que cinco años! (Otra razón para comer más fibra.) ¿Qué mejor motivo para hacer de tu cuarto de baño un lugar donde te apetezca pasar el tiempo? La mayoría de las familias acumulan más cosas en él de lo que cabe razonablemente. Tuve un cliente llamado Kurt al que le encantaba comprar cosas y tenía un ojo especial para las rebajas. Allí donde veía papel higiénico en oferta compraba el paquete más grande. Cuando fui a su casa, tenía más de 250 rollos que atestaban los armarios del baño y la mayoría de los del lavadero. Se rio de lo ridículo que era, pero no podía evitarlo. Dedicamos un armario entero a ese tipo de papel y Kurt aceptó regalar el resto a sus amigos y se comprometió a sólo comprar en adelante más rollos si le cabían en el armario. ¡Mis cálculos fueron que pasaría por lo menos un año antes de que tuviera que volver a comprar!

Los productos para el baño no son muy caros, pero sí muy tentadores y huelen tan bien... Nos hacen promesas sobre cómo cambiarán nuestra piel, nuestro pelo y nuestra vida. Pero es muy importante evitar las acumulaciones en los cuartos de baño. Al moho, los gérmenes y la suciedad les encanta el desorden... especialmente en un recinto cálido y húmedo como un cuarto de baño. Es casi imposible mantenerlo limpio y desinfectado si está lleno de trastos por todas partes.

PIENSA GLOBALMENTE

Es fácil acumular productos de baño: tu piel será más suave, tu pelo volverá a crecer llenando esas calvas, tus pestañas serán más largas y espesas que nunca... Para mantener tu cuarto de baño limpio y despejado tendrás que renunciar a tus sueños y esperanzas, no importa cuánto dinero te hayas gastado en su consecución. Te sorprenderá lo mucho que puede hacer por tu aspecto un cuarto de baño limpio.

MARCO DE ACTUACIÓN

- Remítete a tu Tabla de la Función de cada Habitación, consensuada por todos.
- Delimita zonas para las diferentes actividades que realizas en el cuarto de baño.
- Deduce lo que no encaja en él.

MANOS A LA OBRA

Descubre las mejores zonas

Si el cuarto de baño es compartido, las zonas pueden decidirse según la persona y no según la función. Dedícale a cada miembro de la familia un espacio para las cosas que utiliza habitualmente. Una forma segura de mejorar es equipar a cada persona de la casa con su neceser particular. Pueden guardarlo en un armario de su propia habitación y llevarlo al baño cada vez que se duchen o se bañen. Esto facilita a todos encontrar lo necesario. Además, en caso de urgencia, los adolescentes de la casa pueden darse los últimos toques en otro lugar que no sea el baño, sin que todo el mundo esté llamando a la puerta deseando entrar.

En el cuarto de baño siempre hay productos que se comparten y que se pueden ordenar según su función. Las medicinas deberían guardarse en un lugar concreto para cada cual, pero lo que usa toda la familia —aspirinas, alcohol para desinfección o mercurocromo— debería estar junto.

Si la competencia por el cuarto de baño no es un problema en tu caso, utiliza neceseres de plástico transparente o cajoncitos de un armario para guardar las cosas. Medicinas a un lado, lociones para el pelo en el otro, cosméticos en un tercero... Si utilizas ciertos productos con frecuencia, resérvales uno de los cajones superiores o un lugar del armario de fácil acceso. Mantén los recambios de jabones, cremas de afeitar o pasta de dientes lejos de la zona más frecuentada del baño. Así verás enseguida lo que tienes y te evitará compras innecesarias.

Mantén las superficies planas despejadas

Es imposible mantener limpia una superficie si está llena de trastos, y la limpieza es extremadamente importante en el cuarto de baño. El vapor, la humedad y la condensación crean moho y hongos; añade a esto la proliferación de cosas y el desorden y tendrás todos los ingredientes para un baño insalubre y antiestético. No abuses de los productos de belleza, así podrás erradicarlos fácil y rápidamente de las encimeras. También va bien agrupar los productos de limpieza en una cesta de plástico, bajo el lavabo, para tener a mano esponjas, pulverizadores y todo lo que necesitas para mantener el baño limpio.

Aprovecha el espacio vertical

Si te cuesta mantener las superficies despejadas en el cuarto de baño, estudia de cuánto espacio vertical dispones. Instala ganchos o toalleros en la parte trasera de la puerta para colgar las toallas o la ropa.

Aprovecha el espacio vertical comprando un armario que puedes colocar sobre el lavabo, instala estantes o armaritos para la mayoría de los artículos de aseo. Cestas, pequeños recipientes o bandejas son una buena forma de mantener las cosas clasificadas: guarda los medicamentos en un lugar, los productos para el pelo en otro, los de botiquín en un tercero, y así sucesivamente.

Los productos para la ducha pueden meterse juntos en bolsas de rejilla o estantes; los hay de muchas formas y tamaños. Se cuelgan de la alcachofa de la ducha, se pegan o atornillan a la pared, se atan a una polea de tensión en el rincón de la ducha. Invierte en un sistema resistente, fácil de limpiar y lo bastante grande como para que quepan los distintos productos usados por todos los miembros de tu familia.

Elimina los productos que no uses

Si todavía no has utilizado esas botellas en miniatura de champú y acondicionador que te has traído de las últimas vacaciones, nunca lo harás. ¿Y esa loción para los pies con aroma de mango y papaya que estaba de oferta la última vez que fuiste a una perfumería? ¡Es hora de que te libres de ella! Cada seis meses da un repaso a todo lo que tienes en el baño y líbrate de las botellas y los tubos que no has abierto o usado en ese tiempo. También cada seis meses deberías cambiar tu cepillo de dientes. En lugar de utilizar productos baratos y ásperos para limpiar el baño, invierte en productos de calidad que huelan bien, recuerda que menos es más y que nunca tendrás que volver a ver ese feo moho negro bajo los veintitantos productos embotellados que tienes en tu ducha.

Cosméticos

Todo maquillaje tiene una fecha de caducidad, a veces impresa en el propio envase, a veces en el envoltorio. ¡No obstante, piensa que la mayoría de los maquillajes caducan a los seis meses! Por regla general, cuanto más cerca de los ojos se aplica el producto, más corta es su vida.

Las mascarillas son lo que caduca antes; las mejores duran unos cuatro meses. Otros cosméticos, lociones y demás suelen durar hasta un año y los perfumes hasta tres. Algunos llevan un código en el fondo del frasco parecido a éste: AJ6546. El último número, el 6 en este caso, indica el año de fabricación; es decir, que ha sido fabricado en el año 2006, así que ese frasco en concreto podría usarse hasta 2009.

Si no estás seguro de cómo determinar la fecha de caducidad de un producto, siempre es mejor que se lo preguntes al fabricante. Casi todos los fabricantes de cosméticos tienen un número de atención al cliente al que puedes dirigirte.

Medicamentos

Todos los medicamentos tienen fecha de caducidad; haz un repaso anual para tirar las medicinas que hayan superado esa fecha. Todo cuanto tienes que recordar respecto al cuarto de baño es que hay que mantener la simplicidad. Sabes perfectamente qué productos ya no utilizas, y seguro que ninguno de ellos es terriblemente caro. En cuanto te acostumbres, la limpieza será una operación indolora.

SÉ REALISTA: DESORDEN Y SALUD

La gente suele decir a menudo que su casa no está sucias, que sólo está atiborrada de trastos. Pero el desorden y la acumulación te impiden limpiar eficazmente, porque es difícil hacerlo debajo o alrededor de las cosas. El desorden y la acumulación atraen suciedad y alérgenos, e incrementan la posibilidad de problemas respiratorios. Los problemas de salud provocados por el desorden no son sólo físicos. En 1996, los psicólogos definieron el «síndrome del acaparador compulsivo» como un desorden psicológico. Quienes viven en hogares muy atestados o desordenados casi siempre sufren ansiedad, depresión o ambas cosas.

HABITACIÓN 8

EL GARAJE, EL SÓTANO Y OTROS LUGARES DE ALMACENAMIENTO

El garaje de Kay y Paul era una mezcla de almacén y tienda de artículos automovilísticos. Un descapotable clásico de 1956 parcialmente restaurado ocupaba casi todo el espacio, y el resto estaba atestado de piezas, herramientas, pintura, llantas, neumáticos y manuales. Por lo visto Paul había comprado el coche poco después de conseguir su primer trabajo e intentaba restaurarlo... ¡desde hacía catorce años! La familia de Paul había tenido un coche similar cuando él era pequeño y le traía grandes recuerdos de vacaciones familiares, viajes de fin de semana y escapadas. Con un poco de presión, Paul aceptó que catorce años eran demasiados para un proyecto como aquél y negoció con su esposa que, a menos que terminase de restaurarlo en seis meses, se libraría del descapotable. Otro cliente tenía una caja llena con cincuenta kilos de tierra sintética que almacenaba en el garaje para un amigo que la utilizaba en una obra de teatro. ¡Tierra sintética! Quizá no sea exactamente tu situación, pero, ¿cuánto te ha costado tu coche? Estoy suponiendo que es una de tus posesiones más costosas; de ser así, ¿por qué lo tienes en la calle expuesto a los elementos? El sol, la lluvia y la nieve deterioran tu costoso coche y tu garaje está protegiendo cosas que apenas usas. ¿Tiene sentido eso?

Los garajes son el cementerio de los trastos. Disponer de espacio no implica llenarlo necesariamente. Dicho esto, el garaje es un lugar —incluso con el coche cómodamente aparcado en él—, donde puedes guardar cosas. Garajes, sótanos y despensas son zonas de almacenamiento legítimas, pero sólo si las llenas de cosas que realmente merece la pena guardar, como adornos navideños, mobiliario, equipo deportivo, herramientas de jardinería y otro tipo o accesorios de coche. El garaje es un lugar conveniente para estas cosas, incluso aunque no las utilices normalmente y siempre y cuando estén debidamente etiquetadas y almacenadas para que puedas encontrarlas con facilidad en el momento en que las necesites.

> Querido Peter:
> Soy muy puntillosa con los detalles. Me gusta que todo esté limpio y ordenado, pero mi marido es todo lo contrario. Nuestro garaje tiene capacidad para tres coches, pero está completamente atestado con los restos de varias de sus aficiones, incluida una canoa a medio construir. No es broma... ¡una canoa! Y nunca ha ido en canoa.

PIENSA GLOBALMENTE

Los garajes, sótanos y zonas de almacenamiento pueden ser difíciles de ordenar y organizar. A menudo plantean uno de los problemas más serios en una casa, especialmente porque no son espacios para vivir. Son espacios para almacenar cosas, así que todo lo que no encuentra un sitio en la casa termina allí. Las etiquetas y las cajas resuelven muchos problemas. Para tener éxito, tienes que tener en cuenta unas cuantas cosas.

MARCO DE ACTUACIÓN

- Remítete a tu Tabla de la Función de cada Habitación, consensuada por todos.
- Delimita zonas para las diferentes actividades que realizas en el garaje, el sótano y las zonas de almacenamiento.
- Deduce lo que no encaja.

MANOS A LA OBRA

Tómatelo con tranquilidad

Supongamos que estás trabajando en el garaje, aunque todo lo que digo aquí puede aplicarse igualmente a cualquier zona de almacenamiento que tengas en casa. Han tenido que pasar meses, incluso años, para que tu garaje termine atestado, así que sé realista y no creas que podrás organizarlo todo en un día, ni siquiera en un fin de semana. Si éste es tu caso, tómatelo con tranquilidad y céntrate en una sola zona antes de abordar la siguiente. Comprométete cada día a limpiar y organizar una sección distinta hasta que las hayas repasado todas.

Eficiencia

Líbrate de las cosas que no hayas usado en todo un año. Si no has tocado algo en los últimos doce meses, es muy probable que no llegues a necesitarlo nunca. ¿De verdad usas todos esos adornos de fiesta? ¿Y ese equipo deportivo? Olvida las excusas, éste es el momento de ganar espacio deshaciéndote de las cosas que no usas ni necesitas.

Mantén el suelo despejado

Una vez las cosas empiezan a desparramarse por el suelo, es casi imposible mantenerlas bajo control. Utiliza el espacio vertical para incrementar tu espacio de almacenamiento y evitar el «desparrame». Instala un sistema sólido de estanterías para almacenar todo lo que quieras conservar. Pero, recuerda, sólo tienes el espacio que tienes. El volumen de trastos, de cajas, o el tamaño de los contenedores viene determinado por el espacio disponible. No sobrecargues el garaje únicamente porque tengas espacio de sobra.

Divide tu garaje en zonas

Agrupa los objetos que quieras conservar: jardinería, herramientas, material para excursiones, material deportivo, envases grandes de comida, artículos de temporada, etc. Utiliza los contenedores apropiados y etiquétalos para identificar el contenido. Incluso piensa en codificar las distintas zonas con distintos colores. Naranja para las herramientas, una pared verde para que los niños cuelguen las bicicletas, ganchos y cajas azules para el material deportivo... Esto ayudará a todo el mundo a saber dónde están las cosas, dónde guardarlas una vez utilizadas y pondrá orden en el caos. Las zonas de mantenimiento de tu garaje también te ayudarán a evitar compras innecesarias y a tenerlo todo organizado.

LA SEGURIDAD EN EL GARAJE Y EL SÓTANO

No almacenes sustancias inflamables como keroseno, disolvente o gasolina en tu garaje o en tu sótano, a menos que las tengas muy bien tapadas en un armario cerrado, preferiblemente con llave. Asegúrate de que el sótano o el garaje, como el resto de tu hogar, cuente con detectores de humo y un extintor. Mantén un radio de medio metro despejado alrededor de la caldera de calefacción para evitar el riesgo de incendio.

¡Sumérgete en lo más profundo!

Si eres valiente, sácalo todo del garaje una vez al año. Involucra a toda tu familia y comprometeos a eliminar la mitad de lo que hay almacenado en el garaje. Revisad todas las cajas, los contenedores y los armarios. Sed brutales: si no utilizáis un artículo, libraos de él.

Herramientas, pinturas y productos químicos

¿De dónde ha salido el tercer martillo? La mayoría de nosotros nunca necesitaremos tres martillos, así que éste es el momento de deshacerse de él. Vacía tu caja o el armario de las herramientas y líbrate de las repetidas que nunca usarás. Deshazte también de herramientas y materiales que hayas comprado para un proyecto concreto ya terminado o que nunca terminarás. Tira los diez mil clavos y tornillos, las llaves Allen que vinieron con kits de muebles y los materiales para la barra de la cortina que guardas todavía cuando ya no tienes barra de cortina.

Revisa todas las latas de pintura para ver si su contenido todavía no se ha secado; numéralas y pinta un trocito de papel que colocarás junto a su número. Compara las pinturas con las habitaciones y crea una guía con el número, la habitación y un código para cada pintura. Líbrate de latas que ya no coincidan con los colores de tus habitaciones. Pregunta cuál es la mejor forma de librarse de las pinturas y demás productos químicos para no poner en peligro el medio ambiente.

Artículos de temporada

Lo bueno de los artículos de temporada (al menos desde la perspectiva de un organizador profesional) es que cada vez que los sacas o los vuelves a guardar tienes una oportunidad inmejorable para valorar si realmente necesitas conservarlos. Si no has utilizado ese esqueleto que brilla en la oscuridad en el último Halloween, pregúntate si merece la pena guardarlo otro año entero. Los artículos de temporada son los elementos que almacenas en el sótano o en el garaje que más tensión provocan. Si te sobra espacio y están convenientemente guardados, genial. Si no... ya sabes lo que tienes que hacer.

Colecciones y recuerdos

Pregúntate si los objetos que guardas en una bolsa de basura o una caja vieja del garaje son realmente tan importantes para ti. Si no los cuidas ni los respetas, quizá sólo sean trastos que no necesitas conservar. Si realmente los valoras, exponlos adecuadamente en tu hogar.

Etiqueta, etiqueta, etiqueta

Garajes y sótanos se utilizan muy a menudo para guardar artículos de temporada, equipo deportivo, adornos de Navidad o cosas que quieres almacenar a medio y largo plazo. Asegúrate de etiquetar claramente cada caja, cada arcón y cada contenedor para localizar fácil y rápidamente todo aquello que busques. Piensa en distintos colores para cajas o contenedores: naranja para los adornos navideños, blanco para las luces, verde para los libros que no has leído... ¡alto, era un truco! ¡No deberías tener libros sin leer en el garaje!

Contempla las estrellas

Piensa que también puedes usar el techo de tu garaje para almacenar cosas. Cualquier ferretería te venderá una amplia variedad de ganchos o colgadores que puedes utilizar para colgar bicicletas, material deportivo, incluso herramientas de jardinería. Artículos como contraventanas o persianas pueden almacenarse fácilmente entre las vigas del techo. Recuerda: estás creando un espacio de almacenamiento útil, no uno para esconder los trastos que has eliminado del resto de tu casa. Sólo hace falta un poco de creatividad para encontrar nuevas soluciones a viejos problemas.

SÉ REALISTA: LA NAVIDAD

Según la Associated Press estadounidense, en la Navidad del año 2005, que cayó en domingo, varias iglesias anularon los servicios religiosos. ¿Por qué? Para no interrumpir la ceremonia matinal de abrir los regalos navideños. Para muchos estadounidenses, Navidad significa regalos. La cadena de almacenes Target vende árboles de Navidad cabeza abajo para que haya más espacio alrededor de la base donde colocar los regalos. ¿Suena a truco para vender más? Target tiene tres modelos de esos árboles, que valen entre 300 y 500 dólares, ¿de acuerdo? ¡Pues otra cadena agotó sus árboles invertidos de 600 dólares!

La Navidad no es únicamente para los niños, también compramos regalos para familiares, colegas y amigos. ¡Y es tan difícil acertar con el gusto de los demás! Muchos de los regalos que recibimos acaban almacenados en los garajes o en los armarios. Aquí tienes unas cuantas formas de echar el freno a los regalos de Navidad.

- Si tienes familia numerosa, mete el nombre de cada miembro en un sombrero. Al año siguiente serás el responsable del regalo de la persona que hayas elegido.
- Si tienes una familia muy numerosa, propón que sólo los niños tengan regalos.
- Ofrece regalos consumibles o que no ocupen mucho espacio (cheques-regalo, cestas de comida, donaciones, etc.) a tus socios de negocios.
- Antes de empezar, decide el número de regalos que comprarás a los niños. Cuando lo hayas alcanzado, frena.

- Regala a tu hijo una sola cosa. Grande, pero sólo una: una bicicleta o una casa de muñecas.
- Dona inmediatamente a beneficencia cualquier regalo inapropiado para la edad del que lo recibe o las cosas que tu hijo o tú ya tenéis.

PASO 4

MANTENIMIENTO

Este libro no trata acerca de cómo hacer limpieza a fondo para volver a tener el mismo problema poco tiempo después. Oh, si fuera tan fácil, ¿verdad? Si alguna vez has hecho dieta, sabes que dejar de comer hasta casi morirte de hambre no funciona. Puede que pierdas algo de peso, pero en cuanto «terminas» la dieta, recuperas todo el peso perdido... y más. Las mejores dietas no son las dietas a corto plazo. El sobrepeso sólo desaparece si cambias radicalmente tus hábitos de alimentación. Pues lo mismo ocurre con la acumulación y el desorden. No estamos hablando de una dieta estricta contra ellos, sino de cambiar tu estilo de vida. La buena noticia es que mantener un hogar relajado y organizado es mucho más fácil que privarse sistemáticamente de helados y patatas fritas. Si sigues esta guía de mantenimiento, nunca invertirás más de unos cuantos minutos en mantener el desorden bajo control.

ZONA DE MANTENIMIENTO

El mantenimiento comienza cuando has alcanzado tu ideal. Tu hogar es un lugar donde te encuentras cómodo y relajado, viviendo la vida que quieres; estás rodeado de cosas que tienen significado para ti; recuerdas el pasado y miras hacia el futuro, pero vives en el presente. Has encontrado el equilibrio.

Ahora, mira a tu alrededor. Todo tiene su lugar y todos los que viven en casa saben que es un hogar. Puede que te parezca obvio, pero hay gente que no tiene la costumbre de asignar un lugar a cada cosa... ¡y lo más probable es que alguna de esas personas viva en tu casa! Si ven un plato, lo meten en un armario cualquiera mientras quepa. Siempre es mejor que dejarlo en la encimera, claro, pero consume espacio y tiempo: espacio, porque no estás agrupándolo con los demás; y tiempo, porque no sabrás dónde buscarlo la próxima vez que lo necesites.

Así que asegúrate de que en tu casa todo el mundo conozca, acepte y siga la regla de oro: si sacas algo, mételo; si lo abres, ciérralo; si lo terminas, sustitúyelo; si está lleno, vacíalo; si lo quitas, reponlo; si está sucio, lávalo... y si es basura, tíralo.

UNA GINCANA

Pon a prueba vuestro conocimiento sobre las zonas de la casa jugando a una especie de escondite invertido. Todo el mundo recorre la casa y escoge tres objetos (por ejemplo, el mantel de la abuela, la cesta de costura, las facturas pendientes, la guirnalda de Navidad...). Os reunís en terreno neutral y tú anotas los objetos que ha escogido cada cual en una lista numerada. Todos escriben su nombre en un trozo de papel. Ahora, en el papel con tu nombre, anotas el lugar que crees que corresponde a los objetos de la lista. El que acierte más lugares correctos, gana. El que acierte menos, será el encargado de devolverlo todo a su lugar.

CRIBA DIARIA

Te sorprendería lo mucho que puedes conseguir en diez minutos. Utiliza cinco minutos para ordenar y los otros cinco para organizar un cajón, un estante o una superficie, y tu casa siempre estará ordenada. Piénsalo: si lo haces cinco días cada semana, habrás arreglado 260 pequeñas zonas al cabo de un año. Lo pequeño va sumando.

Es mejor usar la misma franja horaria todos los días. Si eres un ama de casa, aprovecha el momento en que los niños hacen la siesta o están en el colegio. Si eres un madrugador que trabaja en casa o que nunca tiene problemas para llegar a tiempo al trabajo, conviértelo en un ritual matinal. Si siempre vas con el tiempo justo por la mañana, hazlo cuando vuelvas a casa, en cuanto entres por la puerta o después de cenar, cuando los niños se acuesten, lo que mejor te vaya. A una de mis clientas le gusta ordenarlo todo por la mañana, así que siempre vuelve a una casa inmaculada y organiza la criba durante la tarde, cuando está segura de poder dedicarle el tiempo necesario. ¡Esos pequeños pasos marcan la diferencia!

LA CRIBA DE LOS CINCO MINUTOS

Aquí tienes un ejemplo de la criba de los cinco minutos:
1. Programa el reloj de la cocina para que suene dentro de cinco minutos.
2. Mete en una bolsa de basura de tamaño medio lo que quieras tirar o donar a una organización benéfica, lo que sea más conveniente según lo que estés cribando.

3. Elige tu objetivo. Asegúrate de que no sea demasiado ambicioso para terminarlo: un cajón de la cocina, un estante de cintas de vídeo, el suelo de un armario, etc.
4. Líbrate de todo aquello que no hayas usado en los últimos seis meses o un año. ¿Recuerdas? Se supone que ya lo hiciste cuando organizaste tu casa, pero un hogar es algo vivo y lo que ayer creías que valía la pena conservar puede que hoy ya no te importe en absoluto. Sé inflexible, cuantas más cosas tires, más tiempo podrás esperar para volver a revisar esa zona.
5. Cuando el tiempo se acabe, para. Si la bolsa está llena, tírala al contenedor (o déjala en el coche para librarte de ella cuando pases por delante de un centro benéfico). Si no está llena, déjala junto al cubo o en un lugar aparte para seguir llenándola al día siguiente. Seguro que en tu siguiente criba terminarás de llenarla.

LA REGLA DE DENTRO/FUERA

Es muy sencilla. Ahora que tu hogar va camino de ser lo que quieres que sea, por cada cosa que entre en tu casa, otra debe salir. El truco consiste en que ambas sean aproximadamente del mismo tamaño para que la nueva ocupe el mismo espacio: si compras un par de zapatos, tira otro par. Esto es bastante fácil, pero el asunto se vuelve más peliagudo cuando hablamos del televisor viejo, que encima todavía funciona bastante bien. La tentación es quedártelo, aunque hayas comprado un último modelo nuevo y más grande. ¡Ése podría colocarse en el comedor y el viejo pasar a la cocina! Ésa es una decisión relacionada con el estilo de vida que quieres llevar. ¿Te apetece ver la tele también en la cocina? ¿Forma eso parte de la función que reservas para la cocina? Cuando planeas comprar un artículo nuevo, caro y que ocupa cierto espacio, parte de ese plan debería ser desprenderte de algo que deje espacio para la nueva compra.

¿Sabes que hay millones de casas en las que nunca tiran nada? Puede que no seas de ésos, pero todos sabemos que es difícil desprenderse de algo que ha costado su buen dinero. Así que, huelga decirlo, la mejor forma de cumplir esta regla es comprando menos. Necesitas controlar el flujo de lo que entra en casa. Si vas de compras, ¿cómo distingues lo que te apetece de lo que necesitas? ¿Lo decides por adelantado? ¿Sabes lo que estás buscando exactamente cuando vas a los grandes almacenes o a las rebajas? ¿Sólo compras lo que habías planeado? Si compras algo que no estaba en la lista, pregúntate: ¿es algo que necesito o, simplemente, un capricho? ¿No tengo uno ya? ¿Qué pienso hacer con el que ya tengo?

PISTAS PARA CONTROLAR LAS ENTRADAS Y LAS SALIDAS

Para la ropa y los juguetes. Compra uno, tira otro. Coste *versus* espacio. Normalmente, nos lo pensamos más antes de hacer una compra cara. Pero, recuerda, cuanto más espacio ocupe una cosa, más te costará. Tómate tu tiempo para decidir la compra de los artículos más grandes.

Tiempo de reflexión. Imponte un tiempo de reflexión para cada compra y evita adquirir cosas por impulso.

Lo ves, te encanta... pero espera 48 horas para comprarlo.

Fondo de experiencia. Cada vez que logres evitar una compra impulsiva, ingresa el importe en una cuenta especial que puedes llamar «fondo de experiencia».

Elige una experiencia para compartir con tu familia. un viaje a París, a Disneylandia, a la playa, etc. Si tu hijo te pide un juguete, puedes hacer lo mismo. Dile: «Este juguete cuesta 9,99 dólares. En vez de comprarlo, pongamos ese dinero en un fondo para Disneylandia.» Al cabo de doce meses, te prometo que tendrás suficiente dinero para vivir una experiencia que todos en tu hogar recordarán siempre.

LA COMUNICACIÓN

Recuerda: cosas distintas son importantes para personas distintas por razones distintas. Hay emociones involucradas en el trabajo que estamos haciendo, así que tómate tiempo para comprender a los demás, haz que la comunicación forme parte de la interacción con tu familia, busca una habitación en la que llevar a cabo el proceso de orden y organización no implique acusaciones mutuas y encontrarás sistemas que funcionarán para todo el mundo.

RESOLVIENDO CONFLICTOS DE LIMPIEZA

Resuelve los conflictos, especialmente cuando están involucrados niños, repartiendo responsabilidades:

1. Haz que todo el mundo anote las tareas domésticas que realiza durante una semana y el tiempo que invierte en cada una. Al final de la semana, compara las notas.
2. Siguiendo el ejercicio anterior, redistribuye las tareas para igualar el tiempo que cada persona emplea en limpiar y ordenar. Haz una lista de tareas.
3. Dicha lista puede incluir:
   - Mandar el correo.
   - Poner la lavadora (incluye a los niños).
   - Vaciar la lavadora (incluye a los niños).
   - Sacar la basura (incluye a los niños).
   - Pagar facturas.
   - Poner la mesa (incluye a los niños).
   - Lavar los platos (incluye a los niños).
   - Ordenar el dormitorio (incluye a los niños).
   - Pasear al perro (incluye a los niños mayores).
   - Alimentar las mascotas (incluye a los niños).
   - Limpiar las mascotas (incluye a los niños).

PREPARA UNA BOLSA PARA BENEFICENCIA

Ten preparada siempre, siempre, siempre, una bolsa de basura para las donaciones a beneficencia. Cuando te pruebes una prenda de ropa y no te siente bien, métela en la bolsa; si abres tu armario y ves una bolsa de picnic que nunca has utilizado, métela en la bolsa; si recibes un regalo que no te gusta, métela en la bolsa; cuando a tu hijo menor le quede la ropa pequeña, revísala, y si todavía puede usarse, métela en la bolsa. Haz de esto una costumbre, de la misma forma que tiras (o reciclas) las latas de comida vacías.

Cuando la bolsa esté llena, déjala en tu coche. Dependiendo de dónde vivas, probablemente ni siquiera necesitarás hacer un viaje especial para librarte de ella; guárdala hasta que pases cerca de tu centro de beneficencia u ONG favoritos. Guarda un recibo por si puedes desgravar de tu declaración de Hacienda y haz una lista anual de tus donaciones (sí, deberías tener una).

HAZ CUENTAS

Lo he dicho un millón de veces y lo seguiré diciendo hasta que me muera: necesitas tener en cuenta la relación entre valor y coste. En cuanto calcules lo que te cuesta organizarte, comprenderás que no vale la pena conservar cosas a causa de su valor, sólo porque «valen la pena». Recuerda pensar en la vida que quieres y la idea que tienes de tu hogar.

El tiempo es oro

¿Tardas más de cinco minutos en recoger y limpiar una habitación? Si tardas más, es que tienes demasiado desorden. ¿Cuánto tiempo tardas en encontrar las llaves? A veces, esos minutos te parecen toda una vida. Aunque sólo pierdas cinco minutos diarios buscando objetos perdidos, al año son treinta horas, más de un día. ¿Estás deseando tomarte tu tiempo para ordenar? ¿Prefieres ahorrarte esos cinco minutos diarios a perderlos en una frenética búsqueda?

El espacio tiene su coste

No importa que el espacio sea tuyo o lo alquiles, siempre estás pagando por cada metro cuadrado. No voy a echar cuentas por ti, pero cuando pierdes la capacidad de disfrutar de una habitación o guardas tu carísimo coche en un garaje inapropiado, estás tirando esa parte de tu renta por la ventana. Cuando alquilas un trastero estás tirando el dinero, no solucionando el problema. Cuando te trasladas a un nuevo hogar (o lo piensas) porque no te atreves a tirar nada, estás tirando el dinero.

RECOGE LOS BENEFICIOS

No tiene sentido realizar el esfuerzo de leer este libro, ni de organizar tu casa, si no vas a disfrutar y aprovechar el cambio.

Beneficios emocionales

Cuando tu espacio está limpio, despejado y libre de trastos, notarás un cambio en tu vida y tus relaciones. Tus habitaciones cumplen las funciones que habías pensado para ellas, los lugares de reunión son cómodos para tu familia y tus amigos, tu dormitorio es un oasis romántico. Disfruta de la paz, el orgullo y la satisfacción que te produce vivir la vida que has elegido.

Beneficios económicos

Cuando organices tus papeles, tus finanzas mejorarán: podrás pagar las deudas y las facturas a tiempo. No sólo eso, sino que cuando empieces a darte cuenta de todo lo que tienes pero no utilizas ni aprecias, tenderás a comprar menos cosas y gastar menos dinero. Si inviertes menos tiempo en compras podrás dedicarlo a nuevos intereses, a ser más activo fuera de tus cuatro paredes, empezando por cosas que haces con tu familia y tus amigos.

Beneficios de tiempo

Se acabaron las horas que pasabas maldiciéndote y culpando al perro por destrozar tus papeles. Cuando todo está en su lugar, pierdes menos tiempo en prepararte por la mañana y no llegas tarde, no olvidas las citas importantes ni llegas a las reuniones sin los documentos necesarios. Hacer la declaración de renta no cuesta (excepto en lo que concierne a pagar). Te sientes más relajado, confiado y lo controlas todo mejor. Tu tiempo te pertenece, no tus cosas.

Beneficios de espacio

Cuanto menos trastos y más orden, más disfrutarás del espacio libre. Ahora, tu familia puede juntarse en torno a la mesa del comedor y disfrutar de una comida; ahora, tu familia tiene un salón en el que relajarse y jugar; ahora puedes tener amigos que se queden una noche en casa o ser el anfitrión de una fiesta. Se acabaron la vergüenza y la incomodidad de tener un hogar que no encaja con la imagen de ti mismo que quieres presentar ante el mundo. Disfruta de tu espacio, organiza fiestas... ¡sal de casa! Te lo has ganado.

PASO 5

REPASO

Ordenar y organizarse requiere compromiso, concentración y, al menos al principio, cierto tiempo. A estas alturas ya deberías notar cambios en tu hogar, en tu bienestar y en tu actitud por las cosas que has decidido conservar. Sabrás si estás ganando la batalla porque tienes superficies libres, espacios vacíos, nuevas y más eficientes costumbres y la sensación de que todo es posible.

O eso o estás inmovilizado, aferrado a cosas que no te hacen feliz y engañándote sobre el gran cambio que has llevado a cabo. ¿Cómo te ha ido? Vuelve al Cuestionario de la página 36 para descubrir lo desorganizada que es tu vida.

SUMARIO DE TU HOGAR

Es hora de que te reúnas con la familia y habléis acerca de lo que habéis hecho y lo que no habéis logrado hacer. Crea un foro para discutir asuntos importantes. ¿Te habías comprometido a resolver el problema? ¿Has sido capaz de que cada habitación cumpla su función? ¿Es feliz tu pareja con vuestro espacio compartido? ¿Ves a tus hijos más relajados y felices?

¿Estás orgulloso de tu espacio? ¿Ha desaparecido la ansiedad que te producía la acumulación de cosas? ¿Hay una relación armoniosa entre tu hogar y la vida que deseabas vivir?

Haz a tus hijos preguntas concretas sobre si les gustan sus reorganizados espacios. ¿Les es más fácil encontrar sus juguetes o hacer los deberes? ¿Disfrutan trabajando en su mesa o les sigue costando trabajo encontrar papel para dibujar? ¿Devuelven las cosas a su sitio cuando han terminado de usarlas? ¿Les gusta más ver sus DVDs en el salón que en el dormitorio de papá y mamá? ¿Les gusta comer en el comedor con toda la familia? ¿Puedes hacer algo más para que disfruten mejor de su espacio?

Hazle a tu pareja las grandes preguntas sobre la vida. ¿Se siente más relajada cuando se mete en la cama? ¿Siente que hay una sensación de equilibrio y calma en vuestro hogar? ¿Tiene claro lo que ambos esperáis conseguir de la vida? ¿Cree que hay algo que debería cambiar en casa para acercaros más a la vida que ambos imaginabais?

Vuelve al Paso 2 (ver página 105) y toma tu Tabla de la Función de cada Habitación. ¿Sirve cada habitación para aquello que querías? Revisa las zonas: ¿todo lo que hay en cada una de ellas sirve a su propósito? ¿Se comprometieron todos a ciertas cosas y han sido fieles a ese compromiso?

REINCIDIENDO

Ya has terminado. ¿Te gusta el nuevo espacio que has creado en tu hogar? ¿Te sientes menos abrumado? ¿Te levantas por la mañana dispuesto a disfrutar del día, de tu trabajo, de tu familia, de tu vida, de los retos y oportunidades que la vida puede ofrecerte? ¿Hay espacio en tu vida para la aventura y el descanso? Eso espero.

Sólo porque hayas limpiado y organizado tu hogar, no creas que ya está todo hecho. La clave es la vigilancia. El desorden y la acumulación siguen al acecho, pero si estás atento nunca tendrás que volver a abrir este libro. El próximo capítulo te enseña cómo mantener el desorden a raya según el calendario.

PASO 6

NUEVAS COSTUMBRES

¿Quién quiere sacrificar todo un sábado limpiando y organizando el desastre en que se ha convertido su casa? ¿Quién quiere pasarse el día anterior a una fiesta ordenando, cuando podría estar preparando comida o haciéndose la manicura? Tras todo el esfuerzo realizado, ¿de verdad quieres volver a la situación en que te encontrabas antes? Porque no sólo es posible sino probable. En nuestra cultura consumista —con todo su correo basura, su ropa barata y sus modas fugaces—, si no controlas el volumen de tus pertenencias, éste te controlará a ti. Si te has tomado el trabajo de seguir los pasos de este libro, tu casa está ahora libre de trastos. Mantenla así.

El secreto de seguir organizado y mantener una casa sin desorden ni acumulación es hacer de esa organización una parte natural de tu vida. He comentado algunos hábitos diarios en este libro. Todo tiene un lugar: si usas algo, devuélvelo a su sitio; cuando te quites una prenda de ropa, devuélvela al armario o déjala en el cesto de la ropa sucia; cuando abras una carta, descarta el sobre usado y pon la carta en la bandeja del correo. Estos pequeños pasos te ayudan a crear el hogar y la vida que deseas.

Mantener tu hogar ordenado es algo más que dar esos pequeños pasos. Los objetos tienden a deteriorarse y a estropearse, adoptas nuevas aficiones, la ropa se te queda pequeña, los trastos se acumulan. Incluso las mejores intenciones pueden desviarse de su propósito original y tu limpieza semanal, bolsa de basura en mano, para controlar el desorden, puede fallar. La mejor forma de mantener a raya la acumulación de trastos es establecer un ciclo anual de organización.

MÁS ALLÁ DE LA LIMPIEZA PRIMAVERAL

Todos sabemos que la primavera es, en países con estaciones marcadas como Estados Unidos, tradicionalmente un período de limpieza general. La casa se airea tras el largo invierno y se limpian escrupulosamente todos los rincones. Bueno, los tiempos han cambiado. Antes de la era industrial, la gente tenía menos posesiones y las casas eran más pequeñas. La acumulación no era una epidemia. La limpieza general de primavera sigue siendo una costumbre magnífica, pero ya es hora de adoptar un nuevo conjunto de hábitos que te ayuden a mantener tu hogar organizado y libre de trastos.

ENERO: UN NUEVO COMIENZO

¡Año nuevo, vida nueva! Con el cambio de año todos nos hacemos promesas de mejora en los próximos doce meses. Plantéate cosas realistas, escríbelas y, lo más importante, recuerda que una vida más organizada es una vida más feliz y menos estresada.

Las Navidades son una época de mucho agobio. ¿Por qué?, porque todo el mundo va de compras. Cuando estamos agobiados, las cosas tienden a escapársenos de las manos, las facturas se retrasan y con tanta compra entran en casa montones de cosas. Comienza el año controlando la acumulación postnavideña.

Criba los adornos de Navidad

Cuando quites los adornos —sean las luces de la casa o los adornos del árbol—, aprovecha para descartar los viejos, estropeados o aquellos que no utilizas. También debes limitar la cantidad de adornos al espacio de que dispones y etiquetar con claridad las cajas en que los guardas. Utiliza cajas diferentes para cada tipo de fiesta; así evitarás confusiones y mantendrás el orden. ¡Un pequeño esfuerzo ahora te facilitará las cosas en las Navidades siguientes!

Utiliza cajas adecuadas

Utiliza cajas con separadores para los adornos del árbol y con refuerzos para que los más caros no se rompan ni se aplasten al guardarlos y para los objetos grandes. Etiquétalas y guárdalas en la zona de menor tráfico de tu casa o de tu garaje. Plantéate numerar las cajas para crear un listado de lo que contiene cada una. Éste es un ejemplo simple de etiquetado:

Número de caja:
Temporada:
Almacenada en:
Contenido:

Imprime unas cuantas etiquetas como la anterior y pega una en la parte frontal de cada caja, así encontrarás rápida y fácilmente lo que busques.

Navidades sí, Navidades no

Recuerda la regla «dentro/fuera»: que no entren en casa más cosas de las que salen. Pero en Navidades esta norma es algo difícil de cumplir. Los objetos entran, entran y entran. ¿Qué sale? Es el momento de examinar tu botín y ver qué artículos de tamaño y uso parecidos tienes que tirar. ¿Te has comprado o te han regalado un jersey nuevo? Prescinde de uno viejo. Quédate con los equipos electrónicos nuevos y dona los antiguos. No dejes que tu familia pase de tener dos televisores a tener tres únicamente porque te hayan regalado otro. Cuando mueras, puede que todas las habitaciones tengan su propia televisión, ¿quién necesita eso?

Cuando hagas un regalo, preocúpate por los problemas de desorden y acumulación de tu familia y amigos. Adopta la política de ofrecer un regalo al que te ofrezca otro, quizás así intercambies algo que el donador realmente necesita.

FEBRERO: ELIMINA EL PAPELEO

Todos mis clientes se quejan de que llega un momento en que el papeleo los sobrepasa. Es inevitable. Pero si realizas un esfuerzo coordinado para hacer limpieza una vez al año, podrás mantenerlo controlado.

Prepara tu declaración de Hacienda

En cuanto averigües si tienes derecho a devolución, prepara tu declaración de Hacienda. Descarta y rompe la documentación que ya no vas a necesitar para presentarla. Etiqueta y archiva tu última declaración.

Éste es el momento de repasar el papeleo importante: repasa las facturas y tira las que ya no necesites o que no vayas a utilizar, descubrirás que papeles que te parecían muy importantes hace seis meses ya son irrelevantes. Quizás unos cuantos meses de facturas innecesarias se han colado en tus carpetas, así que consulta en Hacienda qué tienes que conservar. De ser necesario, pon al día todos los seguros y otros documentos legales, como los testamentos. Haz fotocopias de las nuevas pólizas de seguros, tarjetas de crédito y otros documentos fundamentales que has firmado durante los últimos doce meses y guarda las copias en lugar seguro. En cuanto tengas la seguridad de que todo está al día y es correcto, haz pedazos todo lo demás.

Crea un centro de mensajes

Designa una zona concreta de casa para notas o invitaciones, un calendario familiar y mensajes. Puedes colgar las llaves y controlar las novedades del tablero al mismo tiempo. El correo tendría que ser procesado cerca de este tablón. Pon al día los teléfonos que uses con frecuencia, así como los contactos de emergencias y la información que puedas necesitar en un momento dado. Divide el tablero en zonas, una para cada miembro de la familia, y que todos sepan dónde dejar una nota o un mensaje para alguien en concreto.

MARZO*: LIMPIEZA GENERAL DE PRIMAVERA

Todos conocemos la limpieza general de primavera... en teoría. Aquí tienes cómo ponerla en práctica en el mundo actual. Estas tareas dejarán tu hogar deslumbrante, por dentro y por fuera.

* Septiembre, según el hemisferio en que vivas.

LIMPIEZA GENERAL DE PRIMAVERA	PERSONA RESPONSABLE	MATERIAL NECESARIO
INTERIOR:		
Limpiar ventanas		
Quitar el polvo y limpiar la parte de arriba de los armarios y las lámparas		
Limpieza en seco de alfombras		
Lavar sábanas y mantas antes de guardarlas		
COCINA:		
Limpiar en profundidad los electrodomésticos por dentro y por fuera		
Limpiar detrás de la nevera y debajo de ella		
Limpieza interior y exterior de los armarios y su contenido		
Eliminación de la comida caducada de la despensa y la nevera		
Organízalo todo alrededor del triángulo mágico		
Descarta ollas, sartenes y utensilios estropeados o sin uso		
Despeja todas las superficies		

LIMPIEZA GENERAL DE PRIMAVERA	PERSONA RESPONSABLE	MATERIAL NECESARIO
Repón los productos de limpieza		
¡Limpia a fondo el desagüe del fregadero!		
ROPA:		
Descarta la ropa que ya no te guste, que no te pongas o que no te siente bien. Dónala a una organización benéfica		
Ordena tus prendas en el armario		
Coloca las prendas por colores, para ver rápida y fácilmente lo que tienes		
Guarda la ropa de invierno		
Pon antipolillas en los armarios		
EXTERIOR:		
Quita las contraventanas, etiquétalas y guárdalas para que no se estropeen		
Limpia el exterior de las ventanas		
Guarda tu equipo de esquí		
Haz una revisión de mantenimiento al cortacésped y a las herramientas de jardinería. Replanta y abona el césped		
Revisa la manguera del jardín y aspira los primeros aromas de primavera		

Sigue un plan

Repasa la lista anterior y retócala para que se ajuste a tus necesidades particulares. Incluye en ella todas las tareas de limpieza primaveral del interior y el exterior de tu casa. Asigna responsabilidades a cada miembro de la familia y redacta una lista que puedes colgar de la nevera o algún lugar de reunión para que todo el mundo la consulte.

Guarda la lista para usarla al año siguiente.

LOS DIEZ MINUTOS DE LA BOLSA DE BASURA

Reúnete con la familia para repartir las tareas de limpieza y organización que puedan hacerse en diez minutos o menos: ordenar juguetes o un cajón de la cocina, doblar las camisetas, recoger las revistas viejas y llevarlas al contenedor de reciclaje, etc. Escribe estas tareas en pequeñas tarjetas y colócalas en «la caja de los diez minutos». Durante un mes, antes de la cena, todo el mundo sacará una tarjeta y realizará la tarea que le toque. Muchos pequeños pasos, dados treinta días seguidos, marcarán una enorme diferencia.

Fiesta de limpieza de la casa

Organiza una reunión familiar —una comida especial, una excursión o un viaje de un día— para celebrar la llegada de la primavera y el cumplimiento de la limpieza general. Deja que todo el mundo tenga su papel ordenando y organizando la casa al final del invierno.

ABRIL*: EL MONTÓN DE TRASTOS

Sea en el garaje, bajo las escaleras, en el sótano, el dormitorio de invitados o el ático, todo el mundo tiene su rincón favorito para dejar las cosas que ya no necesita, que puede necesitar algún día o, simplemente, de las que no puede librarse. ¡Es hora de enfrentarse a los montones!

Divide y vencerás

Divide tu hogar en cuatro zonas y enfréntate a un armario de cada zona durante un mes. Las cuatro zonas pueden ser: el sótano, los dormitorios, las zonas de descanso y el lavadero. En fin, escoge las zonas que tengan sentido para ti.

Reparte

Si la cantidad de trastos almacenados es mucha, pide ayuda a tu familia o a los amigos para que la tarea sea más manejable... y ofrécete a devolverles el favor.

Recuerda: ¡cuenta únicamente con el espacio de que dispones!

Lo que quieras guardar debe caber en el espacio que tienes. Señala algunas zonas de tu hogar como de almacenamiento temporal: artículos para un mercadillo, regalos que volver a regalar o cosas prestadas, como libros o vídeos, que han de ser devueltos.

* Si vives en el hemisferio sur, puedes hacerlo en octubre.

Zonas de almacenamiento

Descarta los trastos que ya no necesitas ni utilizas y mete en contenedores y cajas los similares claramente etiquetados. Recuerda que los sótanos son a menudo fríos y húmedos, mientras que en los áticos las temperaturas suelen ser extremas. Asegúrate de que todo lo que almacenas soportará las condiciones ambientales. Si estás usando un trastero de alquiler, piensa que ese espacio que no está en casa sólo debes usarlo en circunstancias extremas y por poco tiempo, ya que suele ser caro y, como es sabido «ojos que no ven, corazón que no siente». Éste es el momento de que te replantees si vas a seguir alquilando el trastero. ¿Cuánto hace que lo tienes? ¿Y si te lías la manta a la cabeza y vendes o regalas todo lo que guardas en él? ¿Cambiaría mucho tu vida (además de tener que pagar una factura menos)?

MAYO*: SAL FUERA

Un hogar sin trastos y ordenado también te libera del estrés y te permite pasar más tiempo haciendo las cosas que te gustan. Pasar tiempo fuera exige más esfuerzo que quedarse en casa. Requiere iniciativa, planificación y energía. Pero la recompensa es enorme: no vas a conseguir una vida llena de recuerdos sentándote frente al televisor. Tómate tiempo este mes para concentrarte en pasar tiempo fuera de tu hogar.

* En el hemisferio sur podría ser en octubre o noviembre.

Prepárate para salir

Repasa y prepara el equipo para que los niños jueguen en el jardín o el patio: columpios, toboganes, bicicletas, etc. Prueba la barbacoa para asegurarte de que funcione. Desembala el mobiliario de jardín y asegúrate de que la piscina (si tienes la suerte de tener una) funcionará durante todos esos largos y calurosos días que vendrán. Sé realista acerca del material que tienes pero no utilizas. ¿Esa cesta de picnic que alguien te regaló como regalo de bodas? Puede que sea preciosa, pero si no la has utilizado nunca, es hora de deshacerte de ella. ¿Y las bicicletas, los patines, los patines en línea o la red de baloncesto que nunca has usado? Son cosas grandes que ocupan mucho espacio. Si sólo son fantasías, éste es el momento de hacerlas realidad o abandonarlas.

Planea las vacaciones de verano

Es el momento de utilizar ese dinero que has ahorrado o conseguido con tu mercadillo particular... pero no para comprar más cosas que no necesitas. Reúne a toda la familia para hablar de las opciones y los planes de verano. Involucra a todo el mundo en la planificación y la toma de decisiones. Distribuye las tareas para que todos tengan un papel en la organización de las vacaciones familiares.

Organiza las actividades veraniegas de los niños

Elabora con tus hijos un calendario de sus actividades vacacionales. Un simple gráfico semanal crea entusiasmo y ayuda a hacer planes. Involucra a otras familias del vecindario para compartir la carga. Si planeas por anticipado pasar un día en la piscina, la playa o un museo, fija las fechas. Crea expectación ante los viajes familiares o las excursiones al campo, para que tus hijos tengan claro cómo pasarán las vacaciones de verano. Esta sensación de orden es a la vez tan excitante como tranquilizadora, y muy útil cuando llega el momento de esa redacción escolar titulada «Cómo pasé mis vacaciones de verano».

JUNIO*: EDUCA A TUS HIJOS

«¡Mamá, me aburro!» Nadie quiere escuchar lo mismo todo el verano. Ahora es el momento de involucrar a tus hijos en el mantenimiento del hogar. Recompensa su buena conducta y que comprendan que el orden y la organización son definitivamente beneficiosos.

Afronta el espacio de tus hijos

Colabora con tus hijos para descubrir lo que funciona y lo que no en sus dormitorios. Haz un proyecto de su espacio personal. Identifica las zonas que tengan sentido para tus hijos: lectura, ropa, deberes, manualidades, juegos de ordenador, lavandería... Diviértelos realizando etiquetas artísticas para las distintas zonas. Trabaja con tus hijos para asegurarte de que cada cosa está en la zona que le corresponde.

---

* En el hemisferio sur, en diciembre o enero.

Haz los armarios accesibles a los niños

Nuestros armarios necesitan cambiar a medida que crecemos, así que asegúrate de que el de tu hijo o hija se ajuste a sus necesidades. ¿Tiene a mano sus cosas favoritas? Distribúyelo de modo que pueda guardar la ropa de fuera de temporada o las cosas con las que menos juega en la parte superior o en estantes. Elimina del suelo todo lo que no sean zapatos y compra o construye contenedores apropiados para las cosas que necesita todos los días. Ayuda a tu hijo a decidir qué ropa y zapatos hay que tirar. Antes de que te des cuenta, tendrás un armario limpio y organizado.

Enfréntate a los juguetes

Reúne los juguetes, juegos y libros viejos que ya no utilizan o ya no son adecuados para su edad. Incluso piensa en instalar una caja de saldos o una caja de juguetes rotos para que tu hijo tenga que tomar decisiones como parte de la limpieza general. Cuando lleves las cosas a una organización benéfica, que tu hijo te acompañe. Así podrá realizar la donación él mismo y aprenderá el valor de donar cosas a otros menos afortunados.

Límites y hábitos

Los límites para los muñecos, los libros y la ropa de tus hijos vendrán dados por el tamaño de las cajas, las estanterías y armario. Poned esos límites de común acuerdo. Que sea lo habitual separar los artículos que van a ir a beneficencia o a tu mercadillo particular. Ahora que están de vacaciones imponles tareas y repásalas. De acuerdo con ellos asegúrate de que podrán seguir llevándolas a cabo cuando el colegio empiece y tengan deberes escolares.

Recompensas

Ningún niño disfrutará ordenando su cuarto todo el verano, así que procura que el proyecto sea lo más divertido posible. Encuentra un equilibrio entre organización y juego. Conviene compensar tareas no demasiado divertidas con sus actividades favoritas. Por ejemplo, puedes llevar a la piscina a tu hijo cada sábado, pero después de que haya ordenado su habitación. Y recuerda anotarlo todo en un calendario que hayas establecido de común acuerdo con tu hijo.

JULIO*: MONTA TU MERCADILLO PARTICULAR

Mediados de verano es un gran momento para una criba, y los largos días son perfectos para montar un mercadillo particular en el jardín. ¿No tienes jardín? No te preocupes. Las cálidas noches son estupendas para librarte de tus trastos por Internet.

Entra en Internet y gana algo de dinero

Piensa en organizar una subasta en Internet para conseguir el mejor precio por las cosas que intentas vender. No todo se vende bien en la red, pero los artículos deportivos, los electró-

---

* En el hemisferio sur, en enero, por ejemplo.

nicos, la ropa de marca, la joyería, los coleccionables y los repuestos de coche son algunos de los artículos que alcanzan buenos precios. Si estás registrado en eBay, puedes investigar las ventas de artículos similares a los tuyos para ver si se han vendido y a qué precio. No tiene sentido subastar tu artículo y pagar cuotas si no hay demanda para tu «tesoro». Si no se te da bien la informática o no tienes tiempo para hacer el seguimiento, mantener correspondencia con el comprador, empaquetar y enviar los artículos, recuerda que puedes utilizar los intermediarios de ventas de eBay si hay alguno en tu zona. Pagarás una comisión, pero desde tu punto de vista, todo lo que consigas es dinero con el que no contabas.

Los mercadillos vecinales

Hay muchos artículos que no tienen cabida en Internet: los muebles de gran tamaño que requieren un embalaje muy voluminoso o los artículos baratos como tablones de anuncios pueden dar más problemas de los que uno está dispuesto a aguantar si no tiene experiencia en hacer envíos. Para todo lo que no puedas vender en la red, organiza el Primer Mercadillo Particular Vecinal Anual (ver la página 94 para los detalles de cómo organizar estos mercadillos particulares). Si te pones de acuerdo con tus vecinos, atraeréis a más compradores y obtendréis mayores beneficios. No sólo es una estupenda forma de librarse de los trastos, sino que te permite conocer mejor a tus vecinos y pasar un día divertido al mismo tiempo. Tus chicos pueden vender sus juguetes usados o montar un chiringuito para vender limonada. Pero no caigas víctima de tu propio plan: ¡no compres los trastos de tu vecino! Y recuerda, todo lo que no vendas, ha de ir directo a beneficencia o a la basura. Asegúrate de anotarlo bien claro en tu programación.

AGOSTO*: PREPARA LA VUELTA AL COLEGIO

Cuando el colegio vuelva a empezar se desatará el caos. El ritmo se incrementa frenéticamente en todos los hogares y es difícil mantenerlo. Una buena planificación y un poco de organización pueden atemperar la reentrada en el año escolar y hacer tu vida mucho más fácil.

Ropa y material

Revisa la ropa de tu hijo para asegurarte de que no se le ha quedado pequeña. Asegúrate de que tiene una mochila cómoda y del tamaño adecuado, y de que está equipado para el mal tiempo. Para los más pequeños, compra y cuelga en tu armario una mochila de cinco bolsillos por lo menos, y así podrás tener una semana de ropa preparada de antemano.

Despacho y material escolar

Asegúrate de que tu despacho está preparado y revisa el material escolar de tus hijos. Decide dónde poner su material para trabajos escolares o manualidades con tu material de oficina para evitar la duplicación y las compras innecesarias. Organiza las cosas para que sean fáciles de localizar y fáciles de rellenar.

* En el hemisferio sur, en febrero.

Limpieza digital

Si tu casa parece limpia y ordenada, dedica unas cuantas horas de alguna noche a limpiar y ordenar los archivos de tu ordenador. Borra los archivos viejos; los que te parecieron importantes pero que ya no necesitas; borra las fotos de poca calidad y coloca tus favoritas en páginas *online* donde lo permitan o almacénalas en CDs y envíalas a la familia o los amigos. Descarga e instala una herramienta de búsqueda como el MSN Search's Windows Desktop Search para localizar fácilmente las cosas en tu ordenador, incluso *e-mails* y documentos adjuntos, así como un motor de búsqueda que busque en la red por ti.

Compras para el colegio

Pídeles a tus hijos que hagan una lista de lo que creen que pueden necesitar para el nuevo año escolar, y luego repasa lo que ya tienen. Utiliza la lista restante para planear un día de compras. Incluso considera concederles un presupuesto y dejarles que hagan algunas compras por sí mismos.

SEPTIEMBRE*: REALIZA EL CAMBIO DE ESTACIÓN

A medida que se acerca el invierno, es hora de dejar espacio en tus armarios para los jerséis gruesos y para que la ropa de verano quede guardada y no estorbe.

---

* En el hemisferio sur, en marzo.

Gana espacio en los armarios

Utiliza el armario de tu cuarto de invitados u otro espacio adecuado del sótano o el ático para guardar la ropa que no sea de temporada. Asegúrate de que ese lugar esté limpio y seco, y de que todo lo que guardas está lavado. Los productos anti-polillas mantendrán las polillas y otros insectos a raya.

Descarta lo que ya no vayas a ponerte

Cada vez que vacíes tu armario por cambio de temporada, deberías echarle una ojeada. ¿Vas a guardar todo el invierno algo que no te has puesto en todo el verano, y que ya no te pondrás hasta el próximo? Líbrate de ello. Descarta también toda la ropa de verano que esté rota, gastada o pasada de moda.

OCTUBRE*: PREPÁRATE PARA EL INVIERNO

La hojas de los árboles cayendo son un signo de que el invierno ya está al otro lado de la esquina, pero no entres todavía en hibernación. Es mejor limpiar el garaje y preparar la casa antes de que lleguen las primeras nieves.

Limpieza del garaje

Tu coche es una de tus posesiones más caras y más útiles. El objetivo es poder aparcarlo en el garaje para que no se es-

* En el hemisferio sur, en abril.

tropee a la intemperie y pierda valor. Saca todo lo que tengas en el garaje, límpialo de polvo y suciedad y limpia el suelo. Descarta todo lo que no utilices normalmente y agrupa los artículos similares. Si no lo has hecho ya, éste es el momento de instalar estanterías resistentes para no tener que dejar nada en el suelo.

Marcar zonas

Concreta un lugar para cado objeto. Instala estanterías para los artículos deportivos, las herramientas y las cajas de almacenamiento y etiquétalo todo claramente. Incluso puedes marcar zonas en el suelo para las bicicletas de los niños. Si el coche entra muy justo en el garaje, instala espejos; gracias a ellos podrás aparcarlo mejor. Revisa cada zona para asegurarte de que se ajusta a tus necesidades.

Prepara tu casa para el invierno

Limpia los canalones de hojas y suciedad. Revisa tu chimenea, tu hogar y tu caldera de calefacción. Asegúrate de que todas las herramientas y el equipo de jardinería están adecuadamente limpios y a resguardo del mal tiempo. Limpia e instala las contraventanas. Repasa las puertas y las ventanas buscando grietas y tápalas.

NOVIEMBRE: PREPÁRATE PARA LAS NAVIDADES

Se supone que las fiestas navideñas son divertidas, ¿verdad? ¿Por qué tienes que pasar horas buscando aparcamiento junto a unos grandes almacenes o unas galerías comerciales para comprar a toda prisa esos regalos de último minuto que no estás seguro de si les gustarán a tus familiares y amigos? El secreto para disfrutar realmente del espíritu navideño es una buena organización. ¡Planearlo todo con un poco de anticipación te ayudará a concentrarte en la familia y en las celebraciones, no en el estrés y la discordia!

Entreteniéndose

Prepara las comidas o reuniones que vayas a celebrar utilizando el plan de la página 264.

Tarjetas de Navidad y lista de regalos

Piensa en utilizar un PDA o un ordenador para almacenar electrónicamente nombres y direcciones. Esto te permitirá imprimir fácil y rápidamente etiquetas con los nombres y direcciones de los destinatarios de tus felicitaciones de Navidad. También es una forma eficiente de guardar los remites de las cartas que recibas.

Toma notas

Presta atención: te sorprenderías de las ocasiones en que la familia o los amigos mencionan las cosas que esperan o que planean comprar, o las ocasiones en que ves un artículo que sabes que le gustaría a alguien. Abre una lista de esos regalos ideales, de la persona a la que se los darías y la fecha en que los has visto. Cuando llegue el momento de las compras, la lista refrescará tu memoria. Si hace varios meses que lo anotaste, quizá debas consultar con alguien que pueda asegurarte que ese objeto no se ha comprado todavía o no ha sido regalado.

Considera regalar «experiencias vitales» en lugar de «cosas»

Un concierto, unas entradas de teatro, una comida especial en un restaurante, incluso una donación a beneficencia pueden dejar una impresión más duradera y satisfactoria que otra botella de perfume o una innecesaria prenda de vestir.

HECHO	TAREA	PERSONA RESPONSABLE	MATERIALES NECESARIOS	¿PRESTADO, ALQUILADO O COMPRADO?	DÍA
	Lista de invitados (ver hoja adjunta)				
Vajilla					
	Copas				
	Platos				
	Cubiertos				
	Bandejas				
	Utensilios de servir				
	Manteles				

HECHO	TAREA	PERSONA RESPONSABLE	MATERIALES NECESARIOS	¿PRESTADO, ALQUILADO O COMPRADO?	DÍA
	Jarras				
	Boles de ponche				
Comida					
	Patatas y salsa				
	Brownies				
	Ensaladas				
	Cerdo				
	Frutos secos y dulces				
	Queso y galletitas saladas				
	Jamón				
	Guarniciones				
Bebidas					
	Hielo				
	Cerveza				
	Vino				
	Gaseosa				
Obsequios de fiesta					
Adornos					
	Globos				
	Velas				

Controla los regalos que ofrezcas

Ser generoso está muy bien, pero sin pasarse. Hay muchas formas de controlarte cuando se trata de hacer regalos, especialmente si tienes una familia o un círculo social amplios. Los regalos implican mucha acumulación porque tienden a ser objetos valiosos, pero quizá no exactamente lo que quieres o necesitas. Sugiero que la familia o el grupo de amigos establezca una cantidad de dinero límite para los regalos y se utilice el truco del «amigo invisible», es decir, que cada uno elija a una sola persona para hacerle regalos o que se les compren sólo a los niños.

Recurre a lo digital y ahórrate problemas

Compra por Internet: es fácil, rápido y muy a menudo el envío es gratis en Navidades. Si estás viajando, mándalo por correo directamente a su destino, pero asegúrate de que el destinatario esté en casa para aceptarlo y que no lo abra antes de que llegues. También puedes conseguir provisiones y hacer otras compras de Navidad en la red... ¡incluido el árbol! Ahórrate una salida de compras y no caerás en esas compras por impulso que tienden a multiplicarse en la campaña navideña.

DICIEMBRE: RELÁJATE Y DISFRUTA

Mientras el torrente de las celebraciones de este mes desciende, deja que la visión de la vida que quieres llevar baile en tu cabeza (junto a tu visión de ciruelas pasas). El año está terminando. Detente, dedícate tiempo a ti mismo y reflexiona sobre el año que acaba de pasar.

Celebra tu éxito

¡Disfruta de estos días, disfruta de tu familia y disfruta tú también! Rara vez te tomas tiempo para reflexionar sobre tus sueños y/o tus logros, hazlo ahora y piensa en que intentas llevar una vida más sencilla, más plena y con menos basura. Disfruta de tus éxitos, sé sincero sobre aquello en lo que creas que has fallado y realista sobre lo que quieres conseguir en el nuevo año.

Comprométete a llevar a cabo los cambios que deseas

El propósito número uno de Año Nuevo en casi todo Occidente es perder peso. Para el año siguiente, ¿por qué no te comprometes a perder el peso extra que significa toda la acumulación de cosas que inundan tu hogar y lastran tu vida? Comprométete a llenar dos bolsas de basura diarias —una de basura real, la que va al basurero, y otra de objetos que donar a beneficencia— hasta que tengas el desorden controlado.

No lo postergues más, el desorden no desaparecerá por sí solo. Salir adelante cuesta tiempo y esfuerzo. No soy un mago, pero puedo prometerte que si has adquirido nuevos hábitos la acumulación nunca se te escapará de las manos y no volverás a decir: ¡esto me sobrepasa!

EPÍLOGO

EXPLICA A OTROS LO QUE HAS APRENDIDO

Me preguntan al menos una vez por semana por qué hago lo que hago. La gente dice: «¿No es gente vaga?» o «¿Por qué vuelven a llenar su casa de trastos a los diez minutos de haberte ido?» o, con más frecuencia, «¿Por qué no se deshacen ellos solitos de su desorden?». Ya es bastante difícil organizar la vida de uno, ¿por qué pretendo organizar la de los demás?

Ésta es una gran pregunta que deberíamos hacernos en diferentes momentos de nuestra vida. ¿Por qué hago lo que hago?

Hace un par de años, recibí un *e-mail* de un hombre de Arizona que me había visto trabajar en *Clean Sweep*, y se preguntaba si podría ayudarlo. Max había estado casado veinticinco años y tenía dos hijos veinteañeros. Cuatro años antes le habían diagnosticado un tumor cerebral a su esposa y, tras varias operaciones y quimioterapia, había vuelto a casa. Por desgracia, la persona que regresó era radicalmente diferente de aquella con la que Max se casara y de la madre que los hijos conocieran toda su vida. Se había vuelto muy impredecible y antisocial. Tenía una intensa necesidad de conservarlo todo: ropa, correo, revistas, diarios, incluso envases vacíos, jarras y latas. Todo intento de desembarazarse de algo la agitaba mucho, incluso la ponía histérica. No querían incomodarla más y el desorden crecía y crecía y crecía...

Durante esa época, la hija de Max se fue deprimiendo cada vez más, hasta que le diagnosticaron una depresión profunda. A medida que pasó el tiempo, el estado de la esposa de Max fue empeorando lentamente y tenían que ingresarla en el hospital con cierta frecuencia. Cuando Max me envió su *e-mail*, hacía tres meses que su esposa había muerto. Dos semanas después del funeral, la hija de Max se suicidó.

Aquí tenemos a un hombre que ni siquiera tenía cincuenta años y ya había sufrido unas pérdidas horrendas. Su hijo estaba en la universidad y él se encontraba solo en una casa que contenía todo lo que su esposa enferma había acumulado con tanto cariño. No había entrado en el dormitorio de su hija desde la muerte de ésta y su profunda pena se mezclaba de una manera tan compleja con la vergüenza que sentía por el estado de su casa que no se atrevía a pedirle a nadie que le echase una mano.

Max me pidió si podía ir a Arizona para ayudarlo con las pertenencias que atestaban su hogar familiar. Con él utilicé muchas de las técnicas de limpieza y organización que has leído en este libro. La situación de Max era única, hay que admitirlo, pero el poder de las cosas que conservaba en casa lo dominaba, el aplastante impacto de los recuerdos y la sensación de que no podía emprender esa tarea por sí solo son comunes en todas las casas en las que entro.

Trabajamos juntos durante tres días para librar su casa de todos los trastos, enfrentándonos con las pertenencias de su esposa y de su hija de modo que hicieran honor a su recuerdo, pero muy conscientes de que se habían ido para siempre. Al final la transformación de Max fue sorprendente, era como si se hubiera quitado un enorme peso de encima. ¿Seguía afligido por el dolor? Claro que sí. Pero, ¿estaba mejor preparado para afrontar lo que le aguardaba y para seguir adelante de una forma equilibrada y saludable? Sinceramente, creo que sí. Lo último que me dijo Max, cuando estaba a punto de marcharme a Los Ángeles, fue: «Gracias. Esta experiencia me ha liberado de muchas cosas y realmente ha cambiado mi vida.»

¿Por qué hago lo que hago? Porque esos tres días son algunos de los más enriquecedores, memorables e inspiradores de mi vida.

NO SE TRATA DE LOS TRASTOS

Mi trabajo puede centrarse en el orden y la organización, pero no me cansaré de repetir que no se trata de «los trastos». He estado en más hogares atestados de los que puedo recordar, y el factor común a todos ellos es que la gente vive en función de lo que posee, no en función de quién es. Esa gente ha perdido el rumbo; ya no posee cosas, sino que sus cosas la poseen. Estoy convencido de que esa situación es más norma que excepción. Llega un momento en que empezamos a creer que cuantas más cosas poseemos, mejores somos. En otras culturas, la gente cree que una de las peores cosas que puede ocurrirle a alguien es ser poseído, es que un demonio lo controle. ¿No es eso precisamente estar inundado de posesiones? ¿No es eso estar poseído?

Por eso no me importan demasiado los «trastos». Las cosas son secundarias a lo que realmente me interesa, lo que me plantea un reto, lo que me impulsa a hacer lo que hago. Veo a diario gente que ha perdido el rumbo en su propio hogar, enterrada —metafórica y literalmente— por lo que posee. No tendrás ninguna oportunidad de ser lo que quieres ser, mejor, a menos que te libres del peso de tus cosas.

Ser organizado sólo por ser organizado es una pérdida de tiempo. Ser organizado porque eso te ayuda a llevar una vida más plena, más feliz, menos estresada y más centrada es una meta por la que vale la pena luchar. Si no eres una persona organizada o si estás luchando contra la acumulación y el desorden, estás perdiendo demasiado tiempo. No avanzas ni prosperas, sólo sobrevives. Todas las personas con las que he trabajado han tenido un momento visionario en el que de repente han redefinido su relación con lo que poseen. No conseguirás ningún cambio permanente sin esa iluminación.

Sólo tienes una vida. Y la forma en que vivas esa vida es elección tuya. Por lo que sé, nadie ha inscrito en su lápida: «Ojalá hubiera comprado más cosas.» Lo que tienes puede cegarte fácilmente y no dejar que veas lo que eres y lo que puedes ser. Lo que hago, y lo que te invito a que hagas tú, no es únicamente ordenar tus armarios, tu garaje o tu cajón de los calcetines. Este libro trata sobre ti y sobre la vida que quieres. Ordena, limpia, organízate y se te abrirá un mundo nuevo que ni siquiera habías imaginado. Hace dos años que murió la esposa de Max y lo último que sé de él es que estaba recorriendo la senda de los Apalaches. No se me ocurre un mejor ejemplo de cómo, incluso en las circunstancias más desoladoras, siempre puedes descubrir nuevas dimensiones en tu vida.

Querido Peter:
Anoche compartí por teléfono algunas de nuestras experiencias con mi primo y un buen amigo, y por mi tono de voz y mi forma de expresarme ambos me hicieron ciertos comentarios. Dijeron que mi voz era más alegre y que daba la impresión de estar sonriendo. Y eso lo atribuyo a la forma en que me hiciste sentir ayer.

Como dicen los anuncios de MasterCard, hay cosas que pueden comprarse, pero los sentimientos y las emociones no tienen precio. Me siento con nuevas fuerzas, no sólo para eliminar toda la basura de mi garaje, sino de los demás aspectos de mi vida.

PUEDES HACER LO QUE SEA

Si eres como la mayoría de las personas con las que he trabajado, había llegado un momento en que tus posesiones físicas no sólo se acumulaban en tu casa, sino en tu mente y en tu vida. Si de verdad has seguido fielmente los pasos de este libro, ahora deberías haberte librado de ese peso. Una vez aligerado, tienes la oportunidad de aprovechar lo que has aprendido ordenando y organizando tu hogar, y de aplicar esos principios a casi todos los aspectos de tu vida: tu mente, tu cuerpo, tu carrera, tus amigos, tu familia, tus relaciones sentimentales... Tienes una capacidad infinita para alcanzar la grandeza. Lo sé. Lo he comprobado muchas veces.

Ordena tu salud

No podrás llevar una vida saludable si vives en una casa desordenada. El desorden tiene un gran impacto en tu confianza y en tu humor. Tu hogar, tu nido, está fuera de control. Las habitaciones no sirven para su función, estás abrumado, tus valores y tus prioridades se han trastornado. Todo ese desorden alimenta un sentimiento de impotencia y baja autoestima que te lleva a no tener motivación para cambiar. Estás atrapado en una enfermiza espiral descendente.

Muchos de mis clientes, que luchan contra la acumulación, también luchan contra la ansiedad y la depresión. A menudo se están medicando. Los estudios aseguran que la gente que vive con mucho desorden es más propensa a padecer:

- dolores de cabeza
- asma, tos y problemas respiratorios
- insomnio
- alergias
- cansancio y falta de motivación

Las medicinas no suelen ser eficaces porque los problemas son endémicos: humedad, polvo, suciedad y moho crecientes entre la acumulación de cosas. En el momento en que muevo o traslado un montón de objetos, puedo ver millones de partículas de polvo y suciedad flotando en el ambiente: el desorden deteriora gravemente la calidad del aire en tu hogar. La situación se complica enormemente cuando hay mascotas en casa. Y no es sorprendente que a las cucarachas y otras plagas les encante esa situación, ya que tienden a esconderse y anidar entre la acumulación de trastos.

El desorden también constituye un peligro físico. Hace poco que en el estado de Washington encontraron a una mujer muerta, enterrada en su propio hogar bajo montones de trastos que cayeron sobre ella, asfixiándola. Aunque tus trastos no representen un peligro de asfixia, sí que son un peligro de incendio. Por ejemplo el montón de periódicos viejos y madera para prender un bonito fuego en tu chimenea. Un hogar abarrotado es como un montón de yesca. Ahora que te has librado de tanto trasto, has hecho de tu hogar un refugio más seguro.

Ordena tus relaciones

Una cosa que siempre me ha sorprendido es lo a menudo que se deterioran las relaciones a medida que la acumulación de cosas va desapareciendo. Al limpiar sus hogares la gente comprende que el miedo que los empujaba a conservar algo inútil también los cegaba para no ver el verdadero problema en sus relaciones. Puede parecer paradójico: ¿por qué deberías querer reordenar tu vida si eso va a destruir tu relación? El desorden nunca conserva una relación sana ni organizarse destruye una buena relación. Las únicas parejas que rompen al enfrentarse a un hogar limpio, ordenado y organizado son las que comprenden que hay mucho más en la vida no sólo que quieren, sino que merecen.

La buena noticia es que también funciona a la inversa. Las parejas que han estado atascadas por la acumulación pueden experimentar un renacer de su pasión cuando se despejan su espacio y su mente. Lo mejor del orden y la organización es que no pueden lograrse sin sinceridad y comunicación. Las parejas se encuentran muy rápidamente hablando sobre lo que valoran, lo que temen y lo que es más importante para ellas. Para aquellos cuya relación se basa en las posesiones, o cuya unidad deriva del desorden, este proceso puede ser difícil; pero si tu relación tiene una base fuerte, el proceso de replantearse la función de tu hogar y tu relación con tus pertenencias la reforzará inevitablemente.

Te he pedido muchas veces que imagines la vida que quieres y utilices esa imagen para decidir qué conservar y qué tirar a la basura. Parte de imaginar esa vida ideal, es imaginar también la relación que quieres: la compañía, el apoyo, el amor. Si tu vida está llena de desorden emocional, éste es el momento de hacer limpieza y contemplar sinceramente lo que tienes y lo que quieres.

Ordenando tu cintura

En Estados Unidos y en la mayor parte de los países occidentales tenemos un problema de peso que nos está matando. Dos de cada tres estadounidenses tienen sobrepeso y un tercio es obeso. En el transcurso de una generación nos hemos convertido en una nación de gordos y nuestros hijos siguen el mismo camino. No es coincidencia que, al mismo tiempo que nuestras cinturas se ensanchan el problema de la acumulación en nuestros hogares se haya extendido tanto. Las dos cosas están íntimamente relacionadas.

Nos hemos convertido en una nación de consumidores desaforados: gastamos mucho, compramos mucho y comemos mucho. De la misma forma que nos rodeamos de demasiadas cosas, nos atiborramos de basura calórica, consistente principalmente en grasas y azúcares. La situación en nuestro hogar se vuelve demasiado abrumadora para que nos enfrentemos a ella; el sobrepeso es excesivo para enfrentarnos a él. Una cosa es el reflejo de la otra.

Cada año, los estadounidenses se gastan casi cuarenta mil millones de dólares en libros de dietética y dietas, y se estima que la mitad de nosotros estamos a dieta en algún momento; aun así, no conseguimos perder peso. ¿Cuál es la solución? Estoy convencido de que no perderemos peso, de que no podremos conseguir el cuerpo y el aspecto que deseamos si nuestro hogar no está libre de trastos y organizado.

Olvídate de los libros de dietas, las píldoras y los trucos para adelgazar: adopta el enfoque que he trazado para tu hogar y aplícalo a tu vida. Líbrate de la basura en la que estás enterrado, organiza tu vida y tu espacio vital, empieza a construir tu ideal de vida y tu espacio físico.

Organiza tu existencia con una alimentación razonable y un programa de ejercicio apropiado. Limpia la cocina y líbrate de todo aquello que no utilizas; organiza la despensa y la cocina para que se correspondan con la persona que quieres ser; descarta la grasa poco saludable y los alimentos demasiado azucarados; deja espacio en tu nevera para vegetales frescos y comida sana; planea con antelación tus comidas y evita las prisas de última hora que te impulsan hacia la comida rápida.

La organización no sólo tiene que ver con el peso añadido de las cosas que conservas en tu hogar, sino sobre ti globalmente... ¡incluido el diámetro de tu cintura!

Ordena tu paternidad

Enseñas con el ejemplo. Los niños quedan inevitablemente afectados por la acumulación y la desorganización. Están rodeados de demasiadas cosas... excepto de espacio para respirar y pensar. Los problemas de conducta y aprendizaje se presentan a menudo cuando los niños se ven sobreestimulados en unas casas demasiado atestadas.

Tus hijos no van a sentarse a la mesa del comedor para confesar que el desorden en casa los inquieta. Trabajé con una madre, Danielle, que me juró que su hija Casey era perfectamente feliz en su apartamento, aunque tuviera que circular por un laberinto de cajas para llegar hasta su dormitorio y hacer sus trabajos en el cuarto de baño porque, aseguraba, era el único lugar donde podía concentrarse. Casey era una adolescente popular y aparentemente equilibrada, cierto, pero cuando me abrió la puerta de su hogar estalló en lágrimas de alivio. Nunca olvidaré lo que dijo: «Nunca pensé que acabaría viviendo así.»

Cuando tu hogar está atestado de cosas, el mensaje silencioso que estás mandando a tus hijos es: «Esto no me gusta, pero no puedo cambiarlo.» Les estás vendiendo la idea de que «no podemos mejorar la situación ni cambiar las circunstancias».

Les estás diciendo: «Somos incapaces de cambiar lo que no nos gusta de nuestra vida.» Les estás dando un mensaje de desesperación a tus hijos y reforzando ese mensaje todos los días.

No esperes hasta que sea demasiado tarde para enseñarles a tus hijos responsabilidad social, modales, a tomar decisiones, a ser responsables, a respetar las cosas y a ser tolerantes. Todos esos valores humanos fundamentales se enseñan desde el momento en que el niño empieza a ser consciente de lo que le rodea. Ordena, pon límites, instaura costumbres y fomenta la organización en tu hogar para modelar la conducta y los valores que quieres que tus hijos tengan.

Querido Peter:

Nuestro hijo era un niño autista de siete años que no sabía comunicarse verbalmente. No le gustaba su dormitorio, con una decoración «infantil» y prefería dormir en el cuarto de invitados, decorado de una forma más sobria. Organizamos su habitación para que encontrase fácilmente sus libros favoritos y el cambio fue inmediato. Decidió que le gustaba leer y pasaba mucho más tiempo en su cuarto. ¡Y la lectura fue una bendición! Unos cuantos meses después de la reorganización, empezó a intentar leer en voz alta sus libros favoritos. Dos meses más tarde (con un poco de ayuda por mi parte) comenzó a decir palabras sencillas. La gente en la iglesia lloraba cuando lo oía hablar un poquito más cada semana.

Desde entonces, ha ido alargando sus frases y ya es capaz de cantar canciones enteras. Nos habían dicho que los niños que no hablaban a los siete años seguramente no lo harían nunca, así que nos parece milagroso. Te escribo para contarte esto porque su interés por la lectura no se despertó hasta que su cuarto estuvo ordenado y se convirtió en un lugar agradable y pacífico.

Gracias.

Organiza tu trabajo

Cuando la mayoría de la gente habla de organización en su lugar de trabajo, piensa en términos de eficiencia, aumento de la productividad, ahorro de tiempo e incremento de los beneficios. Todo eso está muy bien, pero es una visión muy estrecha de lo que la organización aporta a tu carrera. El orden y la organización en casa representa menos estrés en tu vida y en tu trabajo. Despiertas en una casa donde todo tiene su lugar, encuentras fácilmente qué ropa te vas a poner y tu hogar transmite una sensación de paz y bienestar. No es una mala forma de empezar el día. Una vez te hayas permitido imaginar la vida que quieres, desarrolla una visión de la carrera que deseas.

Cuando tu hogar es un lugar organizado que funciona, obtendrás fácilmente la claridad y la confianza necesarias para convertir tu sueño en realidad.

La organización que desarrolles en casa se filtrará orgánicamente en tu vida laboral: descubrirás que no te distraes con las cosas pequeñas y rutinarias, pensarás con más claridad, planearás con más lógica y resolverás los problemas con más fluidez.

Te comunicarás mejor con tus colegas, estarás menos estresado y aportarás menos estrés a tu trabajo, tanto si trabajas en una oficina, en casa o si ejerces de padre a tiempo completo. Los ejecutivos pierden de media seis semanas al año buscando información y documentos mal archivados... ¡Seis semanas! Si tu recién instaurada organización te permite ahorrar ese tiempo, será mejor que llames a tu jefe y le digas que vaya pensando en un ascenso.

DISFRUTA DE LA VIDA QUE VIVES

Ordenar y organizar tu espacio hará, inevitablemente, que te des cuenta de cómo empleas el tiempo. ¿Cuánto tiempo has gastado comprando cosas que nunca has utilizado? Las compras recreativas —las compras que realizas para distraerte— son una costumbre nacional. Nos sentimos productivos («compro cosas que necesito para vivir»), nos parece que tenemos éxito («puedo permitírmelo, lo estoy haciendo bien») y que controlamos nuestro destino («si me compro esto mi casa será más bonita, mi vestuario más moderno y, yo, más feliz»). Comprar puede convertirse fácilmente en un sustituto de todo tipo de satisfacciones emocionales. La «terapia de ir de compras» apacigua la soledad, el miedo y la insatisfacción, pero normalmente sólo conduce a las facturas de la tarjeta de crédito y a acumular tantas cosas que no te caben en el espacio de que dispones. Terapia de compras = limpieza y orden. Existen muchas más cosas aparte de pasarse la vida en unas galerías comerciales. En vez de adquirir cosas puedes acumular experiencias, experiencias de amor y afecto.

La calma exterior trae paz interior

Tu hogar es tu reflejo. No lo digo en el sentido de que necesites una casa último modelo para demostrar al mundo lo genial que eres. Tu hogar refleja tu vida interior, lo contento que te sientes, tu plenitud, lo amante y amado que eres. Tu hogar es la expresión de lo que vales, de lo que disfrutas y de lo que es importante para ti.

La ruta entre la calma exterior y la paz interior es una carretera de dos direcciones. Tu hogar no sólo expresa quién eres realmente, sino que, si no creas un espacio tranquilo y pacífico en el que vivir, será muy difícil que tu yo interior crezca y se desarrolle. Un hogar tranquilo, pacífico y organizado te ayuda a mantenerte centrado y en contacto con lo que es importante en tu vida. Vivir de los recuerdos del pasado puede parecer sentimental y romántico, y vivir por el futuro puede parecer ambicioso y esperanzador. Ambas cosas son ciertas: los recuerdos son importantes para todos y el impulso de crear un futuro mejor es saludable y productivo. Pero la función principal de tu hogar no debe ser vivir en un lugar y un tiempo diferentes. Tienes que disfrutar el hoy, es todo cuanto tienes. Cuando lo consigues, puedes obtener un verdadero placer planificando el futuro y recordando el pasado. No tienes por qué esconderte del uno ni del otro.

Ya basta

Como espero que sepas a estas alturas, mi objetivo al escribir este libro no fue hacer un pase mágico. No tengo una idea prefijada de lo limpia que debería estar tu casa ni de qué aspecto debe tener tu cómodo y feliz hogar. Lo que me motiva son las emociones que se ocultan tras el desorden y las palabras con las que la gente describe su casa. Este libro es para la gente que se siente sobrepasada, atrapada, sofocada por la acumulación de trastos.

Este libro es para la gente que cree que la limpieza y el orden son una pérdida de tiempo pero que pierde semanas de su vida buscando las llaves. Este libro es para la gente que no es feliz con su vida pero no sabe por qué. Este libro es para la gente que se siente paralizada por su acumulación de bienes. Este libro es para todo el que alguna vez ha dicho: «Basta ya.»

Para algunos, este libro lo cambiará todo. Para otros, será sólo el primer paso hacia la vida que realmente quieren. Adelante. Sabes que puedes.

OTROS TÍTULOS

BUENAS NOCHES

Dr. Michael Breus

¿Has dado vueltas en la cama alguna vez con el creciente temor, a medida que pasaban las horas, de que no conseguirías dormir? ¿Has llegado alguna vez tarde a trabajar porque te ha costado mucho despertar, a pesar de que el despertador sonó varias veces? ¿Te has mirado alguna vez en el espejo y te has visto mayor de lo que eres? Si es así, *Buenas noches* es lo que necesitas para dormir más, dormir mejor y levantarte descansado (o descansada) para enfrentar (y disfrutar) el día.

En muchos países de Occidente la falta de sueño es un problema endémico, que trae todo tipo de trastornos, desde el aumento de peso y el envejecimiento prematuro hasta la fatiga y somnolencia que causan muchos accidentes laborales y de tráfico. Se trabaja mucho y se duerme poco. Estamos agotados en el trabajo, en casa y en todas partes. Una buena noche de sueño es fundamental para la salud y la belleza; es el primer paso, y el más importante, para sentirse lleno de energía y tener el mejor aspecto posible.

El doctor Michael Breus, psicólogo clínico con amplia experiencia en la materia, presenta un novedoso programa, basado en los más avanzados adelantos científicos, para solucionar de forma práctica y racional los problemas del sueño. Mereces sentirte mejor contigo mismo y con tu vida, y en este libro encontrarás un plan para conseguirlo, empezando por esta noche.

LA VIDA, PASO A PASO

Elena Rubio Navarro

Éste es un libro de consulta para toda la familia, que se adentra en todas las edades del ser humano. Es, al mismo tiempo, una obra de psicología evolutiva y de autoayuda.

Cada uno de nosotros puede verse reflejado en la mirada de la autora, que huye de los conformismos para ofrecernos una visión nueva y estimulante del recorrido vital del hombre y de la mujer contemporáneos. Su libro aporta un gran conocimiento de la psicología humana, y ofrece respuestas a situaciones complejas y soluciones directas a los problemas de hoy.

La vida, paso a paso es un trayecto que sugiere oportunidades para todos, con propuestas creativas, humor y sabiduría, para transmitir un mensaje de esperanza al lector, permitiéndole comprender por qué está aquí y cuál es el propósito de su existencia.

Con un lenguaje directo, colorido, divertido y a la vez sutil, la autora induce al lector a reflexionar sobre su paso por la vida, y sobre qué es lo esencial en cada momento vital.